音楽之友社
音楽指導ブック

クラシック名曲のワケ
音楽授業に生かす
アナリーゼ

野本由紀夫

音楽之友社

はじめに

　この本は、2014年4月から2016年3月まで音楽之友社の月刊誌『教育音楽　中学・高校版』で、24回にわたって連載した「授業に生かすアナリーゼ～鑑賞活動のヒント」を、譜例や文章を含めて全頁で増補・改訂してまとめ直したものです。

　中学校では平成24（2012）年に改訂版の学習指導要領が完全実施されて、学校教育の音楽科における「鑑賞」の位置付けが重くなりました。それにより、教育現場は大きな影響を受けました。かつての出身大学のカリキュラムが、その変化についていけるだけの応用力を修得させる体系ではなかったり、個人的にも新しい状況に対応できるだけの十分な基礎力を大学時代に身に付けていなかったり、そもそも今になってその必要性に気づかれた現場の先生も多いことでしょう。

　その基礎力の一つが、**楽曲分析の力、すなわちアナリーゼの力**です。鑑賞授業になぜアナリーゼが必要なのか？

　音楽を鑑賞したとき、生徒はいろいろな感想をもつと思います。なかには、その感想文を書かせることが、学習指導要領にいう「**言語活動**」だと誤解している先生もいらっしゃるのではないでしょうか。しかし、ただ感じたことを書かせるだけではダメなのです。

　言語活動で求められているのは、感じたことの**根拠を書く・伝える**ことです。なぜそう感じるのか。「なぜ？」の部分をうまく導き出し、もう一度音楽を聴いたときに「**だからか！**」と納得できるよう、**アクティブ・ラーニング**につながるように手助けすることが、音楽教師の仕事だといえます。

　その「なぜ」と「だから」を発見するヒントになるのが、アナリーゼに他なりません。この本で取り上げるのは、あくまでも西洋クラシック音楽だけにしかすぎませんが、クラシックではアナリーゼの**根拠は楽譜**に書いてあるのです。

　演奏はもちろんのこと、そもそも音楽を知る出発点は、なんといっても楽譜です。ですから、音楽教師は感じ取ったことが楽譜にはどう書かれているのか、具体的に音楽の何の要素がどう変化したのか、ご自分で**楽譜から読み取る**ことが大切なのです。

　音楽は耳で聴くだけではなく、**目でも確かめ**、そして音楽のさまざまな要素（学習指導要領の〔**共通事項**〕）をうまく取り入れながら、**感想の根拠**を言葉にしてみる必要があります。

　その場合、生徒にも楽譜を見せるのか、あるいは見せるとしてもどのような工夫を凝らして見せるのか。もとの楽譜そのままなのか、グラフィック化したデザインとして見せるのか。

　その判断はまったく現場の先生に任されますが、いずれのやり方をするにしても、それは教師が準備段階で**アナリーゼして、答えが見つかった後**でなければなりません。生徒に楽譜をどう見せるかは、あくまでも**プレゼンテーションの問題**にすぎないのです。

　そうした、生徒に「**伝わる**」ように授業する姿勢——かつて『教育音楽　中学・高校版』の特集記事でインタビューに答えた記事も、「こぼれ話」としてこの本に再録しました。

　この小著が先生たちの中で、そして生徒さんたちの中で、「音楽の種」として芽吹くことを願ってやみません。

野本由紀夫

目次 Contents

はじめに 3

レクチャー1 《四季》より『春』 ヴィヴァルディ 6
レクチャー2 《四季》より『夏』『秋』『冬』 ヴィヴァルディ 9
レクチャー3 『フーガ ト短調』 バッハ 12
レクチャー4 『ボレロ』 ラヴェル 15
レクチャー5 『ブルタバ』 スメタナ 18
レクチャー6 『魔王』 シューベルト 21
レクチャー7 組曲《展覧会の絵》より『プロムナード』 ムソルグスキー 24
レクチャー8 組曲《展覧会の絵》より（後編） ムソルグスキー 27
レクチャー9 組曲《惑星》より『木星』 ホルスト 30
レクチャー10 交響曲第5番『運命』ハ短調（前編） ベートーヴェン 33
レクチャー11 交響曲第5番『運命』ハ短調（後編） ベートーヴェン 38
レクチャー12 組曲《動物の謝肉祭》より『白鳥』 サン・サーンス 41
レクチャー13 組曲《動物の謝肉祭》より（後編） サン・サーンス 44
レクチャー14 交響詩『フィンランディア』 シベリウス 47
レクチャー15 交響曲第9番『新世界より』ホ短調（前編・第2楽章） ドヴォルザーク 50
レクチャー16 交響曲第9番『新世界より』ホ短調（後編・その他の楽章） ドヴォルザーク 53
レクチャー17 オペラ《魔笛》（前編） モーツァルト 56
レクチャー18 オペラ《魔笛》（後編） モーツァルト 59
レクチャー19 交響組曲《シェエラザード》 リムスキー＝コルサコフ 62
レクチャー20 バレエ音楽『春の祭典』 ストラヴィンスキー 65
レクチャー21 オペラ《カルメン》より『ハバネラ』 ビゼー 68
レクチャー22 交響曲『第9番』（前編・第4楽章） ベートーヴェン 71
レクチャー23 交響曲『第9番』（後編・その他の楽章） ベートーヴェン 77
レクチャー24 《レクイエム》 フォーレ 80

音楽こぼれ話

その1　西洋音楽史こぼれ話〜生徒が飽きない音楽史の授業　84

　　　　NHK『クラシックミステリー　名曲探偵アマデウス』放送内容一覧　89

その2　オペラこぼれ話　94

その3　おすすめ音楽書　100

その4　授業で使える「伝わる」話し方　102

凡例：

・**音名**は、「**固定ド**」で表す。まったく同じメロディが和声法的に二つの調に解釈できることも多く、和音の多義性も重要な作曲法であり、移動ドは鑑賞授業にはふさわしくない。また授業時には鍵盤を図示する必要もあり、移動ドでは混乱をきたす。調性和声法ではない旋法や、20世紀の無調音楽の鑑賞もあるため、「固定ド」が望ましい。なお、派生音は「ファ♯」「シ♭」などのように表記する。

・**調**は、原則として「ハ長調 C：」「変ホ長調 B：」「ニ短調 d：」「嬰ハ短調 cis：」「変ホ短調 es：」などのように、**ドイツ語を併記**する。譜例や表の中では、ドイツ語のみを略記する。

・曲名や作曲者名、楽譜に関する用語は、中学校の教科書に準拠した。

レクチャー 1

《四季》より『春』
ヴィヴァルディ作曲

聴き取るポイント
・形式（リトルネッロ部とエピソード部）
・音楽の流れとソネット
・音楽の起承転結
・転調
・ピリオド楽器の表現力

リトルネッロ形式を手がかりに

　ヴィヴァルディ（1678-1741）のヴァイオリン協奏曲《四季》（1725年出版）ほど、よく知られた曲はないかもしれません。『春』『夏』『秋』『冬』の4曲からなりますね（表1）。なかでも『春』を鑑賞するポイントの一つは、**リトルネッロ形式**を聴き取ることでしょう。

　リトルネッロ形式とは、**多段重ねのサンドイッチ**のようなものと思えばわかりやすいでしょう。パンにあたる部分がリトルネッロ部、その間に挟まる具材の部分がエピソード部です。これらは交互に出てくれば、何段重ねでもよいのです。

　リトルネッロ部の特徴は、①基本的に同じメロディ、②基本的に全員合奏、③同じメロディだが調は変わる、というものです。第1楽章の冒頭のメロディ（表2のソネット1および表3のR）は何度も登場しますが、**調が変わる**のをぜひ聴き取ってほしいと思います。長さも変化します。最初と最後が最も長く、あとは数小節の短いときもあります。

　エピソード部の特徴は、①すべて異なるメロディ、②基本的に独奏者たちの部分、③調も変わる、というものです。

表1
《四季》（出版 1725）の構成

	『春』 明るい春	『夏』 けだるい夏	『秋』 収穫の秋	『冬』 厳寒の冬
第1楽章（急）	小鳥たちが陽気な歌で春にあいさつする	夏の暑さに人も家畜も疲れている	村人たちが収穫を祝う	吹きつける風に震える
第2楽章（緩）	羊飼いがまどろむ	稲妻、ハエの群れ	おだやかな空気が人々を眠りに誘う	家の中、火の前で静かに日々をおくる
第3楽章（急）	ニンフと牛飼いが踊る	夏の激しい嵐	狩人たちが狩りに出かける	氷の上を走っては転ぶ。風が吹きあらそう

表2
『春』に付されたソネット

起	1. 春がやってきた	第1楽章
	2. 小鳥たちが陽気な歌で春にあいさつする	
承	3. 西風の息吹に泉は	
	4. やさしくささやきながら溢れ流れる	
転	5. 大気を黒いマントで覆いつつ稲妻と雷鳴が選ばれて、	
	6. 春の訪れを告げにやってくる	
結	7. 嵐が静まると小鳥たちは、	
	8. うっとりするような歌を再び奏で始める	
	9. そして花咲く心地よい野では、	第2楽章
	10. 草木の葉ずれの親しげなささやきに、	
	11. 羊飼いが忠実な犬をかたわらにまどろむ	
	12. 田園風バグパイプの陽気な調べに合わせ	第3楽章
	13. ニンフと羊飼いはお気に入りの場所で、	
	14. まばゆい春の訪れに踊る	

表3
『春』の第1楽章（リトルネッロ形式、R＝リトルネッロ部、E＝エピソード部）

R₁	E	R₂	E	R₃	E	R₄	E	R₅	E	R₆
第1小節	14-	28-	31-	41-	44-	56-	59-	66-	71-	76-82
		E:		H:		cis:			E:	E:
オケ	独奏群	オケ	オケ(p)	オケ	オケ(f)	オケ	独奏群	オケ	独奏	オケ
ソネット第1行	ソネット第2行		ソネット第3〜4行		ソネット第5〜6行		ソネット第7〜8行			
春の訪れ	小鳥の歌		泉の流れ		稲妻と雷鳴		小鳥の歌再開			

前奏　　　　　　　　　　　　　　　　　　　　　　　**後奏**

この曲は「Concerto grosso 合奏協奏曲」といって、オーケストラの中のメンバーがその場でソロを受け持ちます。合奏協奏曲でよく使われるのが、リトルネッロ形式なのです。

情景描写とソネットの「無関係」

ソネット（イタリアの14行詩）の存在も鑑賞のポイントの一つです。第1楽章には「春がやってきた」から始まる8行分が付けられています。各エピソード部にはすべて異なるソネットが付いているので、表現の違いを聴き取る手がかりになります。**音楽の起承転結や場面の変化がソネットによってわかりやすくなっている**と思います。

ただ、これらのソネットは、楽譜の出版に際して**後から付けられた**という説が有力です。なぜなら、数百曲あるヴィヴァルディの協奏曲の中で、ソネット付きの曲集は《四季》だけなので、おそらくアムステルダムで初版が出た特殊事情によると考えられるからです。つまり、なんらかの形で、音楽を説明する必要があったのでしょう。

ヴィヴァルディがソネットをもとに音楽をつくったわけではないなら、**ソネットの内容を表した「情景描写」という指導は不適切**だと思います。あくまでもこの教材で聴き取るべきは、大きな形式構造のほうでしょう。

そう聞こえる背景には何がある？

小鳥が春を歓迎している箇所がそのように聞こえるのは、トリルがあり、音が高いところで鳴っているからです。同じメロディでも、音域が1オクターヴ低かったら、そうは聞こえません。嵐の箇所がそのように聞こえるのも、弦のトレモロ効果だったり、音型が急速に上行しているからです。そんなふうに根拠を具体的にいえることが大切だと思います。

また、教科書の楽譜を見て、次のことに気づいた先生はいませんか？ 拍子が**4/4**と表記されています。これは**20世紀以降の表記法**であり、**バロック時代には存在しません**。正しくは**C**と書かなければなりません。**C**は標準的な拍子という意味です。ちなみにバッハの3拍子の曲には3とだけ書かれています。

4/4という書き方は、20世紀になってストラヴィンスキー（1882-1971）などの変拍子の曲が登場し（p.65～参照）、分母を書かなければならなくなったという事情からきています。

聴き比べをしてみましょう

古楽器による演奏も聴いてみましょう。この曲の通奏低音パートは、本来はチェンバロではなく、オルガンが想定されています。

クラシック音楽は、同じ作品であっても**解釈や演奏の「違いを楽しむ音楽」**といえます。皆さんの『春』のイメージは、主にイ・ムジチ合奏団の演奏による流麗なものだと思いますが、アーノンクールが指揮するCDやイル・ジャルディーノ・アルモニコのスリリングで野性的な古楽器演奏などを聴けば、『春』のイメージがガラッと変わるかもしれません。

現在、手に入るCD（音源）は数十種類ほどもあります。ぜひ聴き比べを授業の中でやってみてください。

レクチャー **2**

《四季》より『夏』『秋』『冬』
ヴィヴァルディ作曲

聴き取るポイント
・「急―緩―急」の3楽章による形式
・曲同士の比較
・即興による演奏の違い

協奏曲の父、ヴィヴァルディ

『春』『夏』『秋』『冬』のすべてにいえるのは、三つの楽章からなる作品だということ。第1楽章はリトルネッロ形式の楽章（レクチャー1を参照）、第2楽章はゆったりとした緩徐楽章、第3楽章は再び速い楽章、つまり「急―緩―急」という楽章構成に着目してほしいと思います。

ヴィヴァルディ（1678-1741）が完成させた、この「急―緩―急」という協奏曲の形式は、ロマン派に至るまで後のほとんどの作曲家たちに踏襲されたわけですから、彼の影響力は絶大だったといえます。だからヴィヴァルディは「**協奏曲の父**」といわれるのですね。なかでもバッハ（1685-1750）は、ヴィヴァルディのヴァイオリン協奏曲をチェンバロ用にアレンジするなど、熱心に彼の作品を研究していました。

また「Concerto grosso 合奏協奏曲」の形をとっている《四季》ですが、ソロパートには高い演奏技術が要求され、「Solo concerto 独奏協奏曲」に近い形ともいわれます。ヴィヴァルディは独奏協奏曲への道もすでに歩んでいたのですね。『春』の「花咲く心地よい野で、羊飼いがまどろむ」というソネットが付けられた第2楽章では、ソロヴァイオリンが独奏協奏曲風の演奏を聴かせてくれます。

第3楽章の「田園風バグパイプの陽気な調べ」には、バグパイプのように聞こえる和音が出てきます。三和音の真ん中の音（第3音）を抜かした「空虚5度」の和音ですが、これはベートーヴェンの交響曲第6番『田園』でも同じように使われています（第1・4楽章）。

「休符」で表現される『夏』のけだるさ

『夏』の聴きどころの一つは第1楽章の冒頭の部分です。1拍目がすべて休符になっています（譜例1）。1拍目がないと、けだるい感じになり、ため息のようにも聞こえます。

カッコウにも着目してみましょう。カッコウは音楽のモチーフとしてさまざまな作品に登場し、ベートーヴェンの『田園』にも長3度のカッコウが出てきますが、『夏』では短3度のカッコウです。

音楽の要素のさまざまな変化も『夏』の聴きどころです。『春』よりも激しく変化します。まず拍子が3拍子から4拍子、再び3拍子へと変化します。リズム、音の強さ、楽器編成なども変化します。これらを、

譜例1　『夏』第1楽章冒頭
LANGUIDEZZA PER IL CALDO（暑気のけだるさ）
Sotto dura staggion dal sole accesa Langue l'huom, langue'l gregge, ed arde il Pino.
（太陽のやけつく厳しい季節には　人も家畜の群もけだるく　松の木は干上がる）

ソロ
ヴァイオリン

Allegro non molto

休符ではじまっている

鑑賞のポイントにしてみるとよいと思います。また『春』にも『夏』にも「雷雨」が出てきますが、『春』と『夏』とではどこが違うのか、聴き比べをするのもよいでしょう。

　注意点としては、**日本の四季とイタリアの四季は同じではない**、ということを意識することですね。日本では湿気の多い、じめっとした夏を連想するかもしれませんが、ヨーロッパでは空気が乾燥していて、日差しは強いけれど木陰に入れば涼しいです。国や地域によって、季節感は異なります。もし「情景を思い浮かべながら」と言うのなら、それは日本の四季とはかなり違う、ということをお忘れなく。

収穫の『秋』、「酔った人」をどう演奏する？

　『秋』は、「収穫を祝う。人々は酔い、踊る」というソネットが付いている楽章です。聴きどころの一つは「酔った人」を連想させる音楽表現ですね。演奏家によって、いろいろな「酔っぱらいの姿」がありますので、**聴き比べ**をしてみるとおもしろいと思います。

　第2楽章の聴きどころは、オルガン（またはチェンバロ）の即興ですね。楽譜には通奏低音の単音しか書かれていません（**譜例2**）。弦楽器群は一定の音をただ延ばしているだけで、オルガンが全楽章にわたって即興で分散和音などを奏して主役になります。

　バロック音楽の楽しみ方の一つに、この**即興性**があります。何もかも楽譜に書き入れるようになったのはずっと後の時代の話で、バロック時代には、その場でいかに音楽をつくれるか、という楽しみ方がありました。演奏者によって異なる表現をぜひ聴いてみてください。オルガンと

譜例2　『秋』第2楽章
DORMIENTI UBRIACHI（眠る酔っぱらい達）
Fa ch'ognuno tralasci e balli e canti; L'aria che temperata dà piacere. E'la stagion ch'invi.
（一人ずつ踊りと歌を止める　和らいだ大気は心地よい　大勢を快い眠りの楽しみに　誘うのがこの季節）

通奏低音

Adagio molto

もともとの楽譜には右手はまったく書かれていない。ここでの右手は参考例

チェンバロというだけでも『秋』の雰囲気が全然違いますから、これも聴き比べをしてみるとよいと思います。

画期的な和音の響きで、厳寒の『冬』を表現

『冬』の第1楽章に出てくる32分音符の連続音は、あまりの寒さに歯がカチカチ鳴っているようにも聞こえます（譜例3）。その和声に着目してみると、なんといきなりⅡ度の7の和音（Ⅱ₇）（譜例4）。不安定な感じが漂います。

一方、第2楽章は、ヴァイオリンが美しいメロディを奏でるカンタービレな曲です（譜例5）。かつてNHK『みんなのうた』で海野洋司の作詞による『白い道』という歌曲アレンジがヒットしたほど、耳なじむ名曲です。

伴奏のピッツィカートが雨粒のように聞こえますが、それは冷たい雨ではなく、どこか暖かな感じがします。生徒に「この雨音を聴いているのは屋外と屋内、どちらだと思う？」「それはなぜ？」と質問してみるのもよいでしょう。

第3楽章には、「転ぶといけないので氷の上をゆっくり歩く」「足を滑らせて転ぶ」などのソネットが付けられています。同じ和音がずっと鳴っている中でヴァイオリンがメロディを弾くので「ゆっくり慎重に歩く」感じがする、下行する音型が急に速くなるから「足を滑らせて転ぶ」感じがするなど、生徒がうまく言語化できるとよいと思います。

譜例3

あまりの寒さに歯の根が合わない
E pel soverchio gel battere i denti;

ソロ
ヴァイオリン

(mf)

譜例4　『冬』第1楽章の冒頭の和声

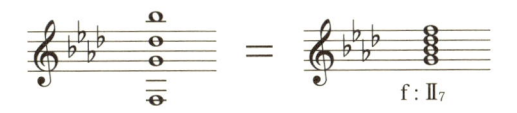

f：Ⅱ₇

譜例5　『冬』第2楽章

火の傍らで静かな満ち足りた日々を過ごす　外は雨ですっかり濡れそぼっている
Passar al foco i di quieti e contenti Mentre la pioggia fuor bagna ben cento

Largo
(f)

LA PIOGGIA　雨
Pizz.
f

レクチャー 3

『フーガ ト短調』
バッハ作曲

聴き取るポイント
・ポリフォニー
・テクスチュア
・形式
・構成

複数のメロディが重なる「多声音楽」

　オルガン作品『フーガ ト短調』BWV578は、バッハ（1685-1750）が作曲した数多くのフーガの中の一つです。同じオルガン曲の中に『幻想曲とフーガ ト短調』BWV542という作品があり、こちらと区別するために『フーガ ト短調』を「小フーガ」という愛唱で呼び、『幻想曲とフーガ ト短調』を「大フーガ」と呼ぶこともあります。

　まず、フーガとはどのような音楽なのかを説明しましょう。フーガは**多声音楽（ポリフォニー）**の一つです。多声とは、声部（パート）がいくつかに分かれているということですね。たとえば、ソプラノ・アルト・テノール・バスのように分かれています。

　でも、声部がたくさんあれば多声音楽かといえば、そうではありません。声部がいくつかに分かれているだけなら、すべての曲が当てはまってしまいますね。では、何が違うのでしょう。

　それは**テクスチュア（音の織りなし方）**が違うのです。もっとも、学習指導要領の〔共通事項〕としてのテクスチュアについては、後で詳しく説明しましょう。

　多声音楽とは、どの声部もメロディを担当し、それらのメロディを重ね合わせることでハーモニーをつくり出す音楽のことで、旋律を重ね合わせる**「対位法」**という技法を使った音楽です。

　ちなみに、どこかの声部がメロディを担当し、それ以外の声部が伴奏を担当するように、和音をつけてハーモニーをつくる音楽は、**ホモフォニー**といいます。ポリフォニーとホモフォニーでは、響きの織りなし方（テクスチュア）に違いがあるということですね。

フーガは、イタリア語で「逃げる」を意味する

　次に、具体的に『フーガ ト短調』の楽譜を見ていきましょう。冒頭の「ソーレー｜シ♭ーラ、ソシ♭ ラソ｜ファ♯ ラレ……」というメロディに注目してください。これと似たメロディが、ソプラノだけでなく、アルトにも、テノールにも、バスにも出てきますね。つまり、同じメロディが追いかけっこをしているように見えます。

　表現を変えれば、最初のメロディがどんどん後に逃げていきます。実は**フーガ fuga とは、イタリア語で「逃げる」という意味**なのです。

何度も同じメロディが出てくるように聴こえますが、開始音の高さは変化しています。冒頭のメロディは「ソ」から始まっていますが、次に出てくるメロディは「レ」から始まっていますね。

「ソ」から始まるほうを**「ドゥクス dux」**（ラテン語で「導くもの」の意）といい、「レ」から始まるほうを**「コメス comes」**（ラテン語で「従うもの」の意）といいます。

これを日本語では**「主題」**（ドゥクス）と**「応答」**（コメス）と訳しています（譜例参照）。この曲ではドゥクスは主音から始まり、コメスは属音から始まっています。

譜例　主題部

楽譜に色をつけて、音楽の構造を見てみよう

これらの「主題」または「応答」のメロディが出てくる部分を「主題部」といいます。これらのメロディが出てこない部分を「間奏」といいます。「主題部」と「間奏」が交互に出てくるのが**フーガの形式**です。

楽譜を見て、「主題」と「応答」の部分にそれぞれ**色を塗り分けていくと、音楽の構造が視覚的に**もよくわかると思います（以下の分析表参照）。

図表化してみると、ソプラノから始まった主題部のメロディは、その後、アルト・テノール・バスへと順番に受け渡され、それが終わると間奏の部分になっているのがよくわかりますね。

間奏は、長いものもあれば、2小節ぐらいの短いものもあります。主題部のメロディは、途中でリズムが変化したり、調が変わったり、ある

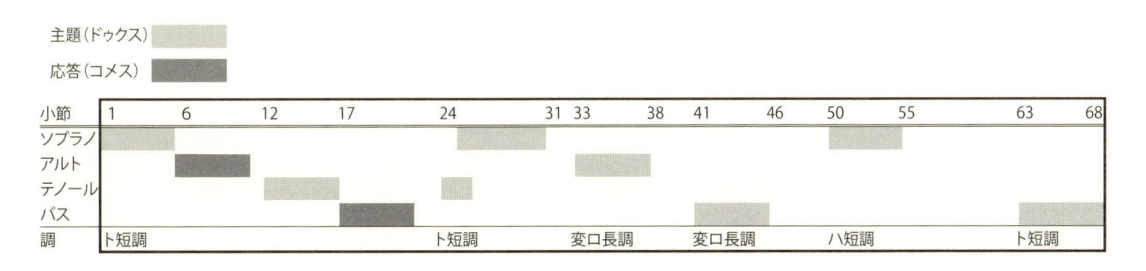

小節	1	6	12	17	24	31	33	38	41	46	50	55	63	68
ソプラノ														
アルト														
テノール														
バス														
調	ト短調				ト短調		変ロ長調		変ロ長調		ハ短調		ト短調	

主題（ドゥクス）／応答（コメス）

いは異なる声部をまたぐようにつくられている箇所もあります。バッハがさまざまな技を使いながら、この作品を書いたことがわかります。

このような変化が発見しやすく、また音楽の構造が生徒たちでも比較的わかりやすいというのが、この作品の特徴ともいえるでしょう。

横糸と縦糸の織られ方

さて、最後に**「テクスチュア」**の話をしましょう。テクスチュア texture（英）は「織地・生地」という意味で、**音楽用語ではないので、ドイツ語・フランス語などには相当する音楽概念や単語さえありません**。

『ニューグローヴ世界音楽大事典』第11巻 p.221（講談社、1980）の「テクスチュア」の項目（坂崎 紀 訳）にも、「この用語と全く同一の意味を持つ言葉は、他のいかなる言語にも存在しない」とあり、音楽用語としての不明確さを指摘しています。

日本の音楽の授業では「声部の織りなし方」という意味で使われています。音の重なりを織物に例えて、横糸と縦糸がどのように織られているのか。つまり音がどのように重なってハーモニーがつくられているのかを表す言葉です。実際、かつての学習指導要領では「音楽の縦と横の関係」という用語でした。

フーガのようなポリフォニー音楽は、メロディという横糸を重ねることで、結果的にハーモニーがつくられます。

一方、メロディに和音をつけてハーモニーをつくるホモフォニー音楽は、メロディという横糸に和音という縦糸をかけることでハーモニーがつくられます。あるいは逆に、和音を分解することでメロディが生み出されたりします。

いずれにしてもテクスチュアとは、**音楽を視覚的に表現した用語**ですから、音楽を聴いただけではわかりにくいのです。**楽譜を見ながら**確認することをおすすめします。

やはり鑑賞の授業は、音楽を耳で聴いて終わりにするのではなく、耳で聴いた音楽を**目でも確かめる**ことが大切ですね。

レクチャー **4**

『ボレロ』
ラヴェル作曲

聴き取るポイント
・リズム・パターン
・メロディ・パターン
・楽器の音色
・演奏者の心理（精神的プレッシャー）

超超超絶技巧の楽曲

　ラヴェル（1875-1937）の『ボレロ』（1928）は、皆さんおなじみの人気オーケストラ曲の一つですね。スペインの舞曲、ボレロのリズム（譜例1）にのせて、主題Aと主題Bのメロディ（譜例2）が繰り返されるという曲の構成になっています。教科書では鑑賞のポイントとして、「リズムを聴き取る」「楽器の音色を聴き取る」などが挙げられていると思います。

　それらの点については、教科書や指導書に書いてある内容で十分だと思いますので、ここでは視点を少し変えて、演奏者の心理という側面から鑑賞のポイントをお話ししましょう。「作曲者の心理」はよくいわれますが、**「演奏者の心理」**もまた、鑑賞の重要な視点ではないでしょうか。

　『ボレロ』という作品は、リズムは2小節のリズム・パターンを繰り返すだけで、メロディは主題Aと主題Bの二つのパターンだけでつくられていますから、「なーんだ、ずいぶん簡単な曲じゃないか」と思われがちです。ところがどっこい、実はオーケストラ奏者にとっては、これ

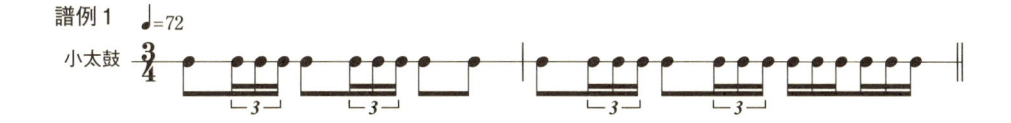

が発狂しかねないくらい、**超絶的に難しい曲**なのです。

戦前までの日本では、この『ボレロ』と、変拍子だらけのストラヴィンスキー（1882-1971）の『春の祭典』（1913、p.65〜参照）は、日本の中で1・2の交響楽団でしか演奏できないとさえいわれていたほどです。一体『ボレロ』のどこが、そんなに難しいのでしょうか？

ひたすら繰り返すだけの恐ろしさ

小太鼓のリズムを見てみましょう（譜例1）。小太鼓は2小節からなるリズム・パターンで、**169回繰り返す**ことになります。皆さんも小太鼓のリズムをたたいてみましょう。簡単ですね。すぐに覚えられます。それでは実際にオーケストラの演奏を聴きながら、生徒と一緒にたたいてみましょう。

曲の途中で集中力が切れてしまうと、どっちの小節のリズム・パターンをたたいていたのか、わからなくなってしまうと思います。プロの演奏者も、楽譜から一瞬、目を離しただけで、どちらのリズムをたたいていたのか、わからなくなることがあるそうです。

これが**単純なリズムをひたすら繰り返すことの恐ろしさ**ですね。演奏者はいつもステージの上で、その恐怖と闘っているのです。とても**精神的に追い込まれます**。

しかも小太鼓パートは、曲の途中から二人（2台）でたたくように指示されています。そのどちらかが間違ってしまった場合、他のオーケストラのメンバーも、二人のうちのどちらが正しいリズムをたたいているのかわからなくなり、全員が地獄を見ることになります。

そもそも演奏者は、間違ってはいけないというプレッシャーと常に闘う職業ですが、『ボレロ』の演奏は、その中でも特に精神的プレッシャーが大きいのです。

壮大なクレシェンドの曲

それだけではありません。この作品は、最初は *pp* から始まります。チェロとヴィオラは弦を指で弾くピッツィカートという奏法で2小節のリズムを繰り返し、とても小さな音量からスタートします。それから約15分かけて、曲の最後では *ff* になります。つまりこの作品は、*pp* からスタートして15分かけて *ff* までもっていくという、**壮大なクレシェンド**で書かれているのです。

小太鼓の人も同じように *pp* から始まり、少しずつ少しずつ音を大きくしていき、最後の *ff* まで計画的に音量をコントロールしなければなりません。

実際の演奏では、手元から最も遠い楽器のワク近くで *pp* をたたきはじめ、少しずつ楽器の中央をたたくように、いわば手元に引き寄せるかのようにスティックを移動させて *ff* をたたくのです。ペース配分に細心の注意が必要ですね（映像でぜひ確認してください）。

奏者はさらに、途中で音が大きくなったり音が抜けたりしないように、常に気を張っていなければならないのです。怖いですねえ。

『ボレロ』は**主題を展開させない音楽**です。あるのは壮大なクレシェ

ンドと楽器の音色の変化だけで、同じメロディをさまざまな楽器が入れ替わりながら演奏し、色を塗り替えていくという作品です。この曲は、これまでのドイツ音楽に見られるような「主題を展開させる音楽形式」を壊そうとした、ラヴェルならではのチャレンジでもあったわけですね。

トロンボーンの「ありえない」音域

　小太鼓以外の楽器にも、ラヴェルは超絶技巧を要求しています。たとえばテナー・**トロンボーン**が出てくる第185小節を見てください。譜例2の主題Bと音域を含めてまったく同じです。これは、トロンボーンにとっては**ありえないくらいの高音域**なんです。通常、トロンボーンの音域は、ヘ音記号の範囲内ですから、この箇所は男性が女性の音域で歌うようなものです。

　しかも、曲が始まってから10分近くは出番がなく、ウォーミング・アップもないまま初登場と同時にいきなりソロで、こんなムチャをやらされるのです。演奏前のチューニングから10分も経っていると、楽器の温度も変わってしまい、どんな音程が出るかわからない状態で吹くのは、**大変な恐怖**です。

　かつて、カラヤン指揮でベルリン・フィルが来日して『ボレロ』を演奏したことがありました（1981年11月2日、NHKホール）。そのとき、試用期間中のトロンボーン奏者が本番で大失敗をしてしまい、結局、ベルリン・フィルに採用されることはありませんでした。怖いですねー。

　『ボレロ』とは、そういう恐ろしい曲なんです。

レクチャー 5

『ブルタバ』
スメタナ作曲

聴き取るポイント
・作曲者の「真の」思い
・時代背景
・楽曲構造

「川の情景を描いたもの」は本心か？

　スメタナ（1824-1884）の代表作『ブルタバ』（1874）は、6曲シリーズの連作交響詩《我が祖国》（1874-1879）の第2曲です。今日では『ブルタバ Vltava』というようにチェコ語で書かれるようになりましたが、この曲が出版された当初から近年までは『モルダウ Die Moldau』というドイツ語のタイトルで呼ばれていました。出版当時チェコはオーストリア・ハンガリー二重帝国の支配下にあり、スメタナの母国語である**チェコ語では作品が発表できなかった、そういう時代**だったのです（p.87参照）。

　スメタナは楽譜の序文に、この曲は「川の情景を描いたもの」とわざわざ書いています。しかし、そのように序文に記さなければならなかったのにはワケがあります。つまり、**「裏の意味」**があるのです。

　したがって、この曲を鑑賞する際に**「川の情景を思い浮かべる」**ことを目的とするのはまったくの間違いであって、作曲者の思いはそういうことではありえません。それは、**音楽分析から明らかです。**

　まず、メロディの変化に着目してみましょう（**譜例1**）。主題メロディは、ブルタバ川の流れを象徴しており、最初は短調で始まっています。このメロディは何度も繰り返し出てきますが、ちょっとずつ違ってい

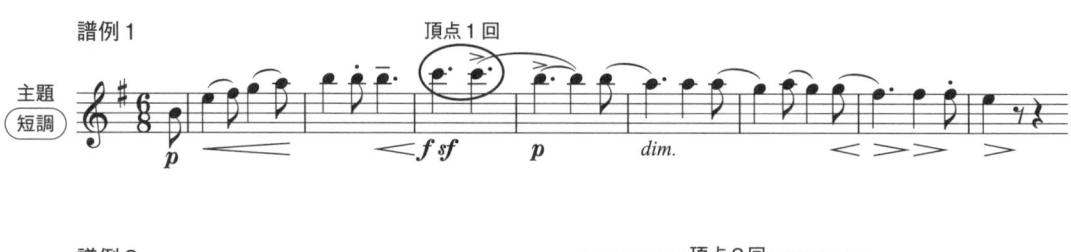

譜例3　KOČKA LEZE DÍROU（穴から子猫が）

1. Koč-ka le-ze dí-rou pes o-knem, pes o-knem,
ne-bu-de-li pr-šet, ne-zmok-nem, nem.

歌詞拙訳：猫は穴を、犬は窓を通って出入りしています。雨が降らなければ、みんな濡れずにすみます。

譜例4　*ondeggiante*　1番チェロ
2番チェロ　*lusingando*　2番チェロ

す。部分的に長調になったり、また短調に戻ったりします（和声分析が重要です）。

　このことは何を表現しているのでしょうか？　少しずつ変化していく「気持ちのありよう」をメロディやハーモニーの変化から聴き取ってほしいと思います。

　最後は長調になって、メロディの頂点が2回あります（譜例2）。主題メロディの原曲はチェコの人なら誰でも知っている民謡『穴から子猫が』ですが、原曲もこんなふうに頂点が2回繰り返されているのです（譜例3）。

　暗く、短調から始まったメロディ（頂点は1回のみ）は紆余曲折を経て、最後の最後で**「本来の姿（原曲の民謡）」**に戻る──これはチェコ民族の本来の姿＝独立を取り戻すという音楽的表現なのではないでしょうか。*

地図での確認と、波立つような伴奏の音型に着目

　『ブルタバ』に関して、誤解しがちなことがもう一つあります。ぜひ地図帳を開いてみてください。悠然と流れる大きな川をイメージしていませんか？　実はブルタバ川は、**本流ではなくて支流**なので、海に流れ込むような大きな川を想像して鑑賞するとイメージが少々違ってきます。

　次に、伴奏に着目してみましょう（譜例4）。楽譜を見ると伴奏部分には「波立つように ondeggiante」と書かれています。音符が上っては下り、上っては下りしていて、まさに波打っているように見えます。さらにこの波の音型は、少しずつ変化していきます。

最初の「ブルタバの二つの源流」のところは、ちょろちょろと流れるような感じに聴こえます。「月の光、水の精の踊り」のところは、光を静かに映し出す穏やかな川の様子が感じられます。

でも重要なのは、なぜそのように聞こえるかです。作品を鑑賞する際には、そこから**情景を思い浮かべることよりも、なぜそう聴こえるのか**、それを音楽要素の中から見つけ出していくことのほうが大切です。つまり、**学習指導要領でいう「根拠の言語化」**ですね。

たとえば、音が小さいからそのように聞こえるとか、フルートの音色がやさしく響いているから、弦楽器が高音域で弱音器をつけているから、など、言語化していきながら鑑賞するとよいと思います（**情景描写の作品ではないので**、中学１年生にはかなり難しい教材ですね）。

「聖ヨハネの急流」ではテンポも速くなり、波が激しく打ちつけているかのように感じられます。弦楽器の音のエネルギーも上昇していきます。そして最後に、勝利に満ちた明るい雰囲気が戻ってきて、民謡の原曲と同じ、あの頂点が２回あるメロディが奏でられるのです。

連作交響詩《我が祖国》として鑑賞

この曲は、**チェコの歴史や地理などを調べながら鑑賞すると**、より広がりのある授業になると思います。**作曲者が一番伝えたかったのは、チェコ民族が自分たちの独立を取り戻すことであって、川の流れそのものを表現したかったわけではない**ということも、調べることでよく理解できると思います。

作曲者の秘めたる思いを川の流れに託し、この曲を聴く人たち、あるいはチェコの同胞たちに、この思いを伝え、共有してもらいたかったのではないでしょうか。主題のメロディが短調から始まるのも、本来の姿ではない悲しみに満ちた民族の気持ちを意味し、そこから独立を取り戻す未来までの**過程が音楽で表現された**、そういう曲が『ブルタバ』であるといえます。

この曲は交響詩なのでソナタ形式の変形でできていますから、きわめて論理的に構築された音楽です。先にも述べましたが、『ブルタバ』は６曲からなる連作交響詩《我が祖国》の第２曲です。『ブルタバ』の最後のところに第１曲『ビシェフラト』に出てくるモチーフが登場します。

このように連作交響詩として６曲全体が絡み合うようにできていますので、時間があれば全曲を通して聴いてみるのもよいと思います。《我が祖国》という作品全体で、スメタナあるいはチェコの人々の悲願が表現されているのですから。

＊野本由紀夫「鑑賞授業をクリエイトするために──交響詩《ブルタバ》の誤解を解く」、『音楽教育実践ジャーナル』第12巻2号（2015年3月）、特集「授業をクリエイトする──音楽の本質をめざして」、p.20-31。
加藤穂高「《ブルタバ》の鑑賞を通して何を伝えるか、何を学ばせるか──専門的解釈からのアプローチ」、同 p.32-42。

レクチャー 6

『魔王』
シューベルト作曲

聴き取るポイント
・「恐怖」を生み出している音楽要素は何か？
・ピアノ連打の苦難
・魔王を表すピアノ伴奏の変化
・休符の効果

誤解から生まれた傑作?!

シューベルト（1791-1828）『魔王』D328（op.1、1815）については先生方がよく教材研究をしていると思いますし、指導書にも詳しく鑑賞のポイントが書かれていますので、今回はそれ以外の「こぼれネタ」を中心にお話ししたいと思います。

『魔王』の歌詞はデンマーク民謡をもとにしたものですが、ドイツの文豪J.G.ヘルダー（1744-1803）がドイツ語に翻訳するときに、デンマーク語の「ellerkonge」（妖精の王）を「Erlkönig」（榛の木の王）と誤訳したことが、この名曲『魔王』の誕生に大きくかかわっています。

その誤訳をもとに書かれたのがJ.W.ゲーテ（1749-1832）の詩（1782）でした。 榛の木の王はサタン（悪魔）の仲間らしく、死の前兆として現れるといいます。実際、ゲーテの詩から着想された絵を見てみると、榛の木（柳の老木のこともあります）から魔物が出ているような、恐ろしいイメージで書かれています。

図像学では、馬が左方向に走っているのは「死」に向かう象徴ともいわれます。それと同じようなイメージでわずか18歳のシューベルトがドラマチックな曲をつけ、歌曲の『魔王』が誕生したというわけです。

もともとのデンマーク民謡のとおり、「妖精の王」と訳されていたら、今のような激しい曲にはなっていなかったかもしれません。

ピアニスト殺しの伴奏

ゲーテ自身は、シューベルトが作曲したこの曲が気に入らなかったようです。あまりに劇的すぎて、詩のもっているリズムを無視しているとゲーテは言っています。ゲーテがイメージしていたのは、どうやらヨハン・ライヒャルト（1752-1814）作曲の『魔王』のような、同じ旋律を反復する「有節歌曲」だったようです。

ところがシューベルトは「通作歌曲」という形で、ドラマチックに曲を書き上げました。曲の途中で調が変わり、音域も上がり、テンションも上がり、緊張感も高まる。ゲーテは、そういう音楽が好きではなかったようです。しかし、今となっては『魔王』は、シューベルトの歌曲の中でも最高傑作の一つといえます。

『魔王』をドラマチックにしている要因の一つとして、**ピアノ伴奏に着目し**

てみましょう。オクターヴの連打が続き、ピアニストにとっては非常につらい伴奏です（譜例1）。ピアノ伴奏を頼むとき、『魔王』の「ま……」と言った瞬間に「絶対イヤ！」と断られる曲、ナンバーワンなのです。

逆説的ですが、このような伴奏が書けたのは、シューベルトはピアノが苦手だったからです。ピアノを弾きながら考えていない、つまり頭の中でつくっているということです。実際、彼自身が「簡易伴奏版」を別に書いているほど、ハードな伴奏なのです。

『魔王』を鑑賞しながら連打のリズム打ちを生徒さんも一緒にやってみると、伴奏者の苦労がよくわかると思います。曲の最後に「やっと宿につくと、子は死んでいた」という歌詞が出てきますが、この曲ではピアニストが真っ先に死にます（笑）。

解決しない恐怖感の正体

学校では「ナレーション」「父」「子」「魔王」の表現の特徴に着目しながら、鑑賞することが多いと思いますが、**伴奏にも着目してみましょう**。連続した三連符の形が「ナレーション」「父」「子」に出てきますが、**「魔王」だけはちょっと違います**（譜例2）。楽しげな感じがします。しかも、耳元で囁くように *pp* で書かれています。まさに「子」を誘惑しようとしていますね。

「子」のメロディは、出てくるたびに1音ずつ高くなり、恐怖の度合いも高まっていきます。それ自体は指導書にも書かれていますが、そもそも**音楽的に「子」の恐怖感の正体は何でしょうか？**

その答えは、決して解決されない「不協和音」です（譜例3）。d音で強打される三連符の保続声部は、歌のメロディと低音に対して、激しく不協和を生み出し続けます。とりわけ「子」のメロディのes音と、ピアノ伴奏の保続d音は、まったく折り合い悪くぶつかり続け、去ることのない不安感や解消されない恐怖感を表しているのです。

最後だけは「魔王」もこの三連符の形になっていることにご注目（譜例4）。魔王が本性を現し、力ずくで「子」をさらう箇所は、突然 *fff* に

譜例1

譜例2　魔王の誘惑「かわいい坊や、いっしょに行こうよ。私の娘たちが君のことを待ってるよ」

なります。ドイツ語の歌詞「Gewalt（暴力）」にぴったり合っているのです。

休符の効果

　もう少し楽譜を見てみましょう。最後の段には「レチタティーヴォ recitativo」と書いてありますね（譜例5）。あんなに激しかった伴奏がここでなくなり、語るように歌う。このような無伴奏の効果も、聴きどころの一つだと思います。

　「死んでいた war tot」という物語の結末の前に、フェルマータのついた休符がありますね。この「間」をつくり出す「休符」の効果のすごさ！

　シューベルトは、言葉を大切にしたかったのだと思います。とても劇的な幕切れです。このようなところを、ライヒャルトの『魔王』と聴き比べてみるのもおもしろいと思います。

　これらのことは、**楽譜を見てこそわかる**ことです。生徒たちが音楽家のように正確に楽譜を読める必要はないのです。耳で聴き取ったり感じられたことを、**楽譜の風景から「目」で確認**できること。それを言葉で説明できれば、鑑賞授業の「言語活動」になると思います。

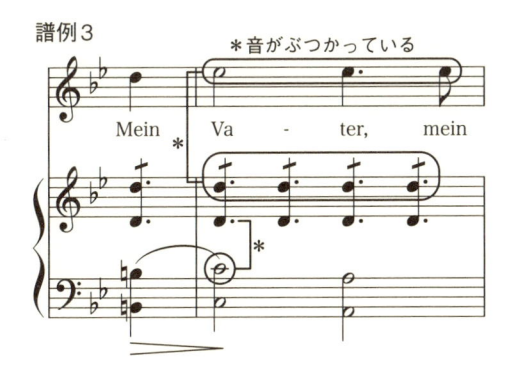

譜例3　＊音がぶつかっている

譜例4　本性を現した魔王「力ずくで連れていってやる！」　子「お父さん、お父さん」

譜例5　この「間」に注目

レクチャー 7

組曲《展覧会の絵》より『プロムナード』
ムソルグスキー作曲

聴き取るポイント
・ロシア音楽と西洋音楽との違い
・編曲の違い
・『プロムナード』の変化
・音に表現された作曲家の思い

展覧会の絵って、どれぐらいの大きさ？

　ムソルグスキー（1839-1881）の《展覧会の絵》（1874）を聴いて、皆さんはどれぐらいの大きさの絵を想像しますか？　ラヴェル（1875-1937）のオーケストラ版（1922）の演奏だと、音が壮大なだけに、美術館に飾ってあるような大きな絵画を想像するかもしれません。ところが実際は、絵ハガキのように小さく、大きくても画用紙サイズなので、絵画というよりはデザイン画といった感じです。

　鑑賞の授業では「情景を思い浮かべて」という言葉をよく耳にしますが、この「情景」がくせ者です。実際に絵画が残っている曲でさえ「思っていた大きさと違う」ということがあるわけですから、**「情景を思い浮かべる」ことがいかに危険**で、いかに曖昧な言葉であるかを、先生は心しておく必要があると思います。

　ムソルグスキーが足を運んだ展覧会は、建築家・画家・デザイナーであり、またムソルグスキーのよき理解者でもあったヴィクトル・ガルトマン（1834-1873）の遺作展です。《展覧会の絵》はその絵をモチーフにした10曲を、作曲者の歩きを表す『プロムナード』でつなぐ形式になっています。本レクチャーでは前編として、まず『プロムナード』の話をしましょう。

西洋音楽から逸脱した曲

　冒頭の『プロムナード』を聴いてみましょう。指導書などには「変ロ長調」と書いてあるようですが、本当にそう聴こえるでしょうか？　たしかに、譜面上は♭二つ（譜例1）。だから見かけ上は変ロ長調 B: といえなくもないのですが、だとしたら、主音でもなければ、主和音に含まれる音でもない、「ソ（g音）」からメロディが始まっていますね。

　実はこの曲は**「ヨナ抜き音階」**で書かれています（譜例2）。つまり**ロシアの民謡を模している**のでしょう。楽譜冒頭にも「ロシアの旋法で」と書いてありますね。

　それに、5/4拍子、6/4拍子と拍子が変わっていきます。民謡というのは言葉数の都合で拍子が自由に伸びたり縮んだりするものです。つまり、『プロムナード』を聴いたとき、「あれっ？　ちょっと西洋音楽っぽくないな」ということに気づいてほしいのです。**西洋音楽のルールか**

らはずれている部分はどこだろう？という聴き方をしてみるとおもしろいと思います。音階・拍子・和声などに注目してみましょう。変ロ長調 B: になっているのは最後の終止部分だけですね。

この曲は、民族的な音楽をつくろうとした「ロシア5人組」ならではの音楽といえます。西洋音楽の理論ではなく、**ロシアの素材**を生かそうとした音楽。だからこそ、どこか素朴で無骨な「ロシアらしさ」が表現されていると思います。

さまざまな編曲を聴く

《展覧会の絵》の原曲はピアノ曲です。オーケストラ版としては、ストコフスキー編曲（1931/39）もよく知られていますが、『プロムナード』の冒頭の旋律は弦楽合奏で演奏されます。でも、ラヴェル版ではトランペットが演奏します（譜例1）。彼の編曲があまりに素晴らしかったので、それ以後の編曲（10種類ぐらいCDやDVDで聴けます）ではトランペットが主流になったぐらいです。

ところが、この旋律を**トランペットで演奏**することは、実はとても大変なんです。「ド―ファ（c-f）」にスラーがついているのが難しい。だから、楽譜どおりのソロではなく、二人で吹かせる指揮者も多いのです。

では、なぜラヴェルはここをトランペットにしたのでしょうか？　それは彼がフランス人だからです。**軍楽隊が発達したフランス**だからこそ、吹奏楽器を選んだ。もし彼がドイツ人だったとしたら、オーソドックスに弦楽器で書いていたかもしれません。

《展覧会の絵》は、いろいろな作曲家が編曲していますので、それらを聴き比べてみてください。そのときはぜひ**映像を観ながら**、どんな楽器で演奏しているのかも観察してみましょう。

譜例1
Allegro giusto, nel modo russico; senza allegrezza, ma poco sostenuto
適切なアレグロのテンポで、ロシアの旋法で。快活ではなく、しかしやや音を保ちぎみに

トランペット3本（C管）
第3トロンボーン＆チューバ

譜例2
4番目（ヨ）と7番目（ナ）の音が抜けているので「ヨナ抜き音階」

絵の中に入りこんだムソルグスキー

何回も出てくる『プロムナード』の変化を聴き取るのも、鑑賞ポイントの一つです（次頁の表）。間奏曲の機能をもつ『プロムナード』では、次の曲との接続が考えられていますので、楽器の割り振りも異なりますし、調が変化したり、長調が短調になったり、次の曲の予告が入ってい

曲順および『プロムナード』旋律の登場する曲（アミカケ）

曲番号	曲名	調	原画の有無
	プロムナード	(B:)	
第1曲	グノーム	es:	?
	プロムナード	(As:)	
第2曲	古城	gis:	×
	プロムナード	(H:)	
第3曲	チュイルリー（遊びの後の子どもたちの喧嘩）	H:	?
第4曲	ビドロ	gis:	×
	プロムナード	d:	
第5曲	卵の殻をつけたひなどりのバレエ	F:	○
第6曲	サムエル・ゴールデンベルグとシュムイレ	b:	○
	プロムナード（ラヴェル編曲ではカット）	(B:)	
第7曲	リモージュの市場（大ニュース）	Es:	?
第8曲	カタコンベ（ローマの墓）	h:	○
第8曲	死者とともに死者の言葉をもって	h: (H:)	
第9曲	鶏の足の上の小屋（バーバヤガー）	(C:)	○
第10曲	キエフの大門	Es:	○

たりします。

　『プロムナード』の旋律が曲中に登場する曲もありますね。たとえば第8曲の『カタコンベ』（地下を掘り抜いてつくられたローマ時代の墓）に続く『死者の言葉をもって死者との対話』に登場する『プロムナード』の旋律は、亡きガルトマンとムソルグスキーの心の対話を意味していると思われます。

　では、第10曲の『キエフの大門』（古いロシアの様式の大きな門）に登場する『プロムナード』の旋律は、何を意味しているのでしょう？（譜例3）

　おそらく、絵を見て歩いていたムソルグスキー自身が絵の中に入り込んだことを意味しているのではないでしょうか。ガルトマンがデザインをしたキエフの大門は、結局、計画そのものが頓挫し、建つことはありませんでした。実際の建物としては実現しなかった思いを、ムソルグスキーが音楽で実現した。ガルトマンの遺志を「音の建築」として実現したのです。

　鐘の音を表現したのも、おそらく、キエフの大門に描かれている鐘が鳴っているのでしょう。ムソルグスキーがこの大門を見上げながら、歩いてくぐっているのではないでしょうか。だから、オーケストレーションしたラヴェルは、ここを本当の鐘に割り当てました。

　作曲者の思いは、このように音楽や**楽譜**と結びつけて考えてみるのがよいと思います。

譜例3　　通常、上の音はグロッケンシュピールで、下の音はチューブラーベルまたは大型の鐘で奏される

レクチャー 8

組曲《展覧会の絵》より（後編）
ムソルグスキー作曲

聴き取るポイント
- ラヴェルの編曲の妙技
- ピアノ版との聴き比べ
- 聴きどころは「目」で確認

イマジネーション、発想力のすごさ！

《展覧会の絵》の原曲はピアノ曲ですが、ご存じのとおり、いろいろな作曲家がオーケストラ用に編曲しています。21世紀以降の新しい編曲もありますが、ラヴェルが編曲して以来、全員がやはり彼の影響を強く受けているといわざるを得ません。

このレクチャーでは、**ラヴェルのオーケストレーションの妙技**ということをテーマに、『プロムナード』以外の各曲を見ていきましょう。**ぜひオーケストラ・スコアをご覧ください。**隠れた工夫、「ヘー！」の連続が満載ですから。

第1曲 グノーム（地中の宝を守ると言い伝えられている地の精）

第1曲「グノーム」で注目してほしいのは、弦楽器のグリッサンドです（譜例1）。この発想は、さすが！という感じです。普通なら、なかなか思いつかないと思います。このグリッサンドがあるからオバケ感というか、おどろおどろしい雰囲気が出ているわけですね。

楽譜には、「sulla tastiera（弦楽器の弓を、駒の近くではなく指板に近いほうで弾け）」と書いてあります。弦の反発力が弱くなるので、やわらかい音色が出るのです。グリッサンドの頂点の音はフラジョレット（「○」の記号）で出せとあり、ノンヴィブラートのまるで笛のような音になります。ハープもハーモニクス奏法（同じ「○」の記号）が指定されています。そうすると透明感のある不思議な音色が出ます。

今ではおなじみとなった特殊奏法を使っているわけです（演奏映像で確認を！）。雰囲気や効果まで考えた「音色の追求」をしているラヴェルは、やっぱり、ただものではないですね。

譜例1　グノーム

譜例2　チュイルリー

第3曲
チュイルリー

　第3曲「チュイルリー」ではフルートとオーボエに注目してください（譜例2）。実はこの二つの楽器は、ユニゾンで重ねて使わない、というのがオーケストレーションの鉄則です。ラヴェルは禁則をわざとやっています。

　なぜ重ねてはいけないかというと、フルートの震えた音色とオーボエのまっすぐな音色が溶け合わず、インクが染みたような焦点がぼけた印象になるからです。

　さらに、奏法上、この二つの楽器はまさに「息を合わせにくい」組み合わせなのです。譜例2をよく見てみると、オーボエはレガート、フルートは一つひとつの音を粒のように短く演奏させています。これは、**オーボエは「息が余る楽器」**（息が抜けにくい）だからなめらかに吹かせ、**フルートは「息が足りない楽器」**（息を大量に使う）だから音を一つひとつ吹かせて、スピード・コントロールしているのです。

　その結果、オーボエのなめらかな質感の中に、フルートのつぶつぶが入って、つぶ入りアイスクリームのような舌触りになっています。一緒にレガートで吹かせないところがさすがだと思います。**楽器を知りつくしたラヴェルならでは**のアレンジですね。

第4曲
ビドロ（牛車、家畜のように虐げられた人々）

　第4曲「ビドロ」は、原曲では *ff* で始まりますが、ラヴェルの編曲では *pp* から始まります。ラヴェルはこの曲を、牛車が遠くから来てどんどん近づき、それがまた遠くに去っていく、という情景に変えたわけです。

　遠くから近づいてくるとき、音量を大きくするだけでなく、ラヴェルは音域の幅を広げる工夫もしています。弦楽器は原曲の音を1オクターヴ低く始め、さらに盛り上がるところでは小太鼓のドラムロールを入れています。

　この発想の豊かさがすごい。ラヴェルのアレンジには、**アレンジャーがお手本にすべきアイデア**が、随所に隠されているのです。ピアノ版と比べてみてください。

第5曲
卵の殻をつけたひなどりのバレエ

　第5曲「卵の殻をつけたひなどりのバレエ」では、ひなどりがお尻に殻をつけたままよたよた歩いている感じがするのも、オーケストラ編曲のなせるワザです。なんと、つか、つか、つか、と聴こえる音の「つ」のほうは、小太鼓のふちの部分（リム）をたたかせているのです！（譜例3）。

　コッ、コッ、コッ、コッ、というニワトリの感じも、ファゴットとヴィ

譜例3

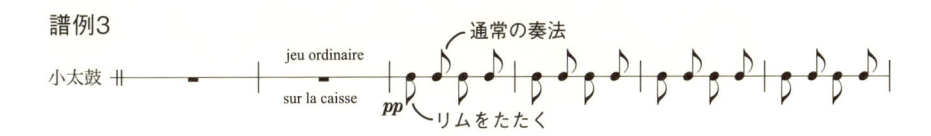

(楽譜: 小太鼓 jeu ordinaire / sur la caisse / 通常の奏法 / pp リムをたたく)

オラのピッツィカートの組み合わせで生み出しています。別の楽器なら、この雰囲気は出ないと思います。

冒頭から木管楽器が、ちゃか、ちゃか、ちゃか、とやっていますが、一音一音タンギングをしなければならないので、結構テクニック的には難しいです。同時に重なっているハープも、手で1回1回音を止め、音を短く切らなければならないので難しい。

楽器の特性や奏法を知ると、実は超絶技巧の曲だということがわかります（演奏映像を参照）。ピアノ版の急速なテンポと聴き比べを！

第8曲
カタコンベ（地下を掘り抜いてつくられたローマ時代の墓）

第8曲「カタコンベ」は、まず、楽器編成に特徴があります。この曲は基本的に金管合奏の曲です。フランス人らしい編成ともいえますね（レクチャー7を参照）。

ラヴェルは、ff を吹く楽器（トロンボーンやチューバ）と pp を吹く楽器（ホルン）を分け、音量の差を演出しています（奏者に対する配慮でもあります）。まさに**強弱の役割分担をしたオーケストレーション**ですね。

楽譜を見てみると、楽器が変わるところは、音が次の小節までかかるようになっているので自然につながって聞こえ、CDで音を聴いただけでは違う楽器になったことがわからないかもしれません。楽譜を見て初めて気づく妙技ですね。

第10曲
キエフの大門（古いロシアの様式の大きな門）

第10曲「キエフの大門」では、教会の鐘の音に注目です。ゴーンと鐘が鳴っていますね。曲の最後に出てくる鐘の音は、実は鐘を一つしか使っていないのに、そのわりに響きがとても豊かだと思いませんか？

ここでもラヴェルの技が光ります。鐘は「ミ」の音を出していますが、その後ろでホルンも全員が「ミ」の音を吹いているのです（譜例4の○）。鐘と同時に同じ音を吹かせることで、響きを豊かにしていたのです。やっぱりラヴェルはオーケストラの天才ですね！

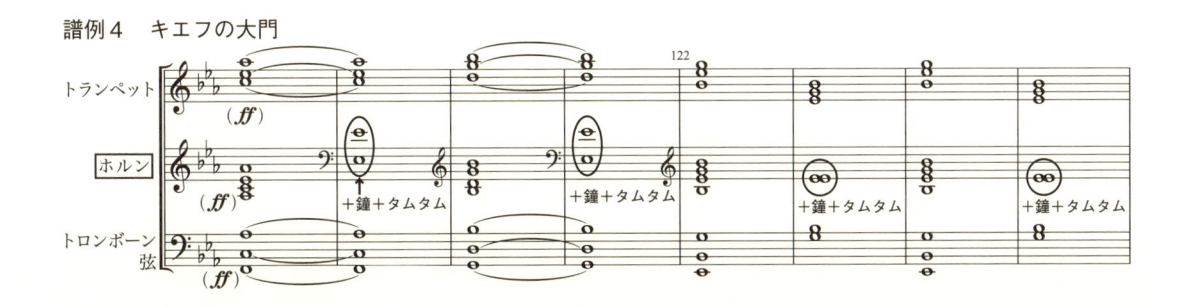

譜例4　キエフの大門

(楽譜: トランペット、ホルン、トロンボーン、弦　122小節付近　+鐘+タムタム)

レクチャー **9**

組曲《惑星》より『木星』
ホルスト作曲

聴き取るポイント
・楽曲区分、または形式
・キャッチーな「4度ワク」メロディとその移り変わり
・音域の変化と楽器編成の変化
・ミニマル・ミュージックの原点

《惑星》は宇宙とは関係がない?!

「情景を想像しながら聴きましょう」。
　鑑賞授業のお決まりの一言ですが、組曲《惑星》(1917) に出てくる木星や火星は、いわゆる宇宙空間にある天体のことを指しているわけではありません。ホルストは宇宙空間、あるいは木星や火星の姿を想像して、この作品を書いたわけではありませんので、誤解しないでくださいね。
　組曲に出てくる惑星は、太陽系の惑星の並びと異なっています（図）。普通なら、水・金・地・火・木・土・天・海・(冥) ですよね。ところが、組曲《惑星》では、火星、金星、水星、木星、土星、天王星、海王星の順で、地球は出てきません。

第1曲	第2曲	第3曲	第4曲	第5曲	第6曲	第7曲
火星	金星	水星	木星	土星	天王星	海王星
戦争をもたらすもの	平和をもたらすもの	翼のある使者	歓喜をもたらすもの	老いをもたらすもの	魔術師	神秘なるもの
豪快な曲調が激しい戦いを想像させる	戦争から一転、落ち着きを取り戻す	陽気でユーモアあふれる曲想	組曲の中盤で、満を持して登場！	格調高く、荘厳な調べが奏でられる	独特のリズムが、魔術の世界にいざなう	遠い未知なる星にふさわしい趣

　つまり、**この組曲は実際の宇宙や天文学というより、占星術に関係**しています。占星術といっても現代の占いとは違って、「神智学」に近いもののようです。それぞれ副題に火星は「戦い」、金星は「平和」、水星は「翼のある使者」、木星は「快楽」、土星は「老い」、天王星は「魔術師」、海王星は「神秘なる魅力」とあって、ホルストはこれらの副題から意味を汲み取ってほしいと述べています。**各曲に特定の情景があるわけではない**のです。
　もちろん、宇宙の写真を見せたり、NASAが撮った木星や火星の写真を見せたりすることで、木星がどんなものか、火星がどんなものか、「科学的」に知るのはよいと思います。でも、**それらの写真は、音楽作品とはまったく関係がない**ということですね。

特徴は、キャッチーな「4度ワク」メロディ

　この作品は組曲ですから、鑑賞する際は1曲目の『火星』から7曲目の『海王星』まで全曲を通して聴くのが一番よいとは思いますが、授業の中で扱うのは、やはり『木星』が多いでしょう。コンサート等で多く演奏されるのも、『火星』や『木星』です。これらはメロディがキャッチーですし、7曲の中でも特に大編成で派手な曲なので、人気があるのでしょう。

　『木星』のメロディはJ-popにもなりましたね。生徒の中には、**平原綾香さんが歌う『Jupiter』**（作詞：吉元由美）でこの作品を知ったという人もいると思います。メロディが有名になるのは、作品を聴く機会が増えることにもつながるのでよいことですが、原曲もぜひ聴いてもらいたいですね。

　原曲のオーケストラ版『木星』を聴いてみると、次々といろいろなメロディが出てきて、この曲がメドレー的にできていることがわかると思います。だから部分を取り出して、ポップス曲にもしやすいのですね。

　しかし、キャッチーなのには音楽理論的にも理由があります。**4度音程がメロディの核になっているからです**。譜例1の有名なメロディも、ソ↗シ♭↗ド（3度上行＋2度上＝4度ワク）、ミ♭↘レ↘シ♭（2度下行＋3度下行＝4度ワク）でできていますね。この後もド↘シ♭↘ソとかシ♭↘ソ↘ファ、ファ↗ソ↗シ♭などが連なっていきます。

　核となる音程が4度というのは、世界的にも**「民謡」**の特徴なのです。だから、どことなく懐かしい響きがするのでしょう。

　実は『木星』に出てくるほとんどのメロディが、この「3度＋2度＝4度」を含んでいます。ぜひスコアを見て、探してみてください。

　この曲の聴きどころの一つは、このような**メロディの移り変わり**です。つまり、楽曲の区分、もっといえば**「形式」**を聴き取る、ということに他なりません。

譜例1

メロディの変化を聴く

　次々といろいろなメロディが出てくるだけでなく、**同じメロディも登場するたびに変化**していきます。たとえば**音域**です（譜例1）。

　まったく同じメロディなのに、2回目に出てくるときはいつの間にか1オクターヴ上がり、3回目に出てくるときはさらに1オクターヴ上がって、最終的には3オクターヴにわたる音域の広がりがあります。そのため、平原綾香さんが歌う『Jupiter』も途中から音を下げて歌っているのですね。ぜひ、オーケストラ・スコアで確かめてください。

　また、**楽器の編成**にも変化があります。楽器の数も、演奏する人数も増えていくのです。1回目はヴァイオリン、ヴィオラ、チェロの全員が

同じメロディをユニゾンで弾いています。50人以上の人数がまったく同じ高さの同じメロディを弾きますので、まるで重ね塗りしたかのような太くて分厚い響きがするわけです。まさに**「ユニゾンの効果」**ですね。

　その後は管楽器が加わり、楽器の数も、演奏する人数もさらに増大していきます。スコアと映像を見ながら、つまり**目で確かめながら**、このような楽器編成の変化などにも注目させてみてください。

ミニマル・ミュージックの原点

　『木星』の冒頭も聴いてみましょう。音が複雑に重なっていて、なんだかすごく難しいことをやっているように聴こえますが、スコアを見てみると、「ミ♪ソ♪ラ」という三つの音を繰り返している人と、「ラ♪ド♪レ」という音を繰り返している人だけなのです！（譜例2）。これまた「3度＋2度＝4度ワク」ですね。

　しかし、それがちょっとずつタイミングがずれて入ることで、このような不思議でどこか神秘的な響きになるのです。**現代音楽のミニマル・ミュージックの原点のような曲**ですね。**「ずらしの効果」「ディヴィジ（パート内で分かれて弾く）の効果」**。こういうこともスコアを見なければわからないことですね。

　ところでホルストは、作曲家として有名にはなりたくないという、かたくななタイプの人間だったようで、この《惑星》を自分の代表作だと思ってもらいたくなかったといいます。グローバル（地球規模）どころか、ユニバーサル（宇宙規模）な作品なのに、ちょっと意外なエピソードですね。

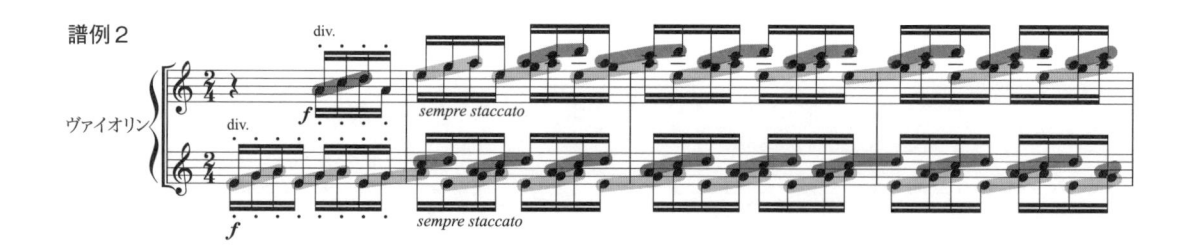

譜例2

レクチャー10

交響曲第5番『運命』ハ短調（前編）
ベートーヴェン作曲

聴き取るポイント
- 第1主題のとらえ方
- フレーズ感とフェルマータ
- 指揮者の解釈と演奏スタイルの違い

第1主題はどこまで？

通称『運命』交響曲（1807-1808）は、誰もが一度は聴いたことがあってとっつきやすいわりに、実は**音楽史の知識や理論攻めにしないと理解できない高度な作品**です。まず第1楽章の冒頭の「ジャジャジャジャーン！」（譜例1）の部分に着目してみましょう。

譜例1

さて、ここで質問です。**第1主題はどこまででしょうか？**

教科書によっては第21小節までにしてあるようです。これは、第22小節からが主題の「確保」になっているからでしょう。しかし、様式上も、理論上も、さらには演奏上も、第21小節までを第1主題ととらえるのはまったくおかしいです。

というのも、まず様式上、ベートーヴェン（1770-1827）はそんなに長い主題を、後期の『ハンマークラヴィーア・ソナタ』（作品106、1817-1819）や晩年の『第九』交響曲（作品125、1822-1824）など、演奏に1時間もかかるような巨大作品まで書かないからです。

もう一つの理由が、第6小節からは明らかに「カノン」であり、これはあまりにも典型的な「主題の展開手法」だからです。実際、『運命』とまったく同時期に作曲されて、**「双子の交響曲」ともいうべき『田園』交響曲も**（譜例2）、**やはり4小節の長さしかない**第1主題です。

そのうえ、やはり主題の確保（第29小節から）までの間に、すでに動機展開がなされています。その間「ソ・ソラシ♭シド」が10回も連続して繰り返されますが（譜例3）、これは展開部での「シ♭・ファミ♭レ・シ♭」を延々繰り返す展開手法とまったく一緒ですね（譜例4）。

譜例2　交響曲第6番『田園』第1楽章の第1主題
第1ヴァイオリン

譜例3　『田園交響曲』第1楽章　第1主題と主題の確保の間の部分

譜例4　『田園交響曲』第1楽章　展開部

さらには、『運命』での再現部（第248小節から）と比較してみても、共通するのは冒頭5小節だけだということがわかるはずです（カノンだった部分の扱いが異なっています）。

つまり、『運命』では、**最初の5小節間だけが第1主題**と考えるのが、最も妥当なように思われます。これら以外にも、展開部における主題の扱いも「ソ・ミ♭・ファ・レ」4小節のまとまりが基本であることなど、いろいろ根拠があります。

以上のようなことは、**この曲を単独で見ていても気づかないことで、ベートーヴェンの創作史全体（あるいは音楽史）から逆算して導き出される結論**ですね。

いきなり休符！の難しさ

この楽章は、よく指揮者コンクールの課題曲になったりします。指揮者泣かせの、振るのがなかなか難しい曲なのです。

楽譜をもう一度見てみましょう（譜例1）。「8分休符」から始まっていることがわかりますね。いきなり全員休みから始まり、次の音で突然全員がフォルティッシモで演奏します。**この休符がくせ者**です。

実際に**教室で体験してみましょう**。みんなで「せーの！」で手をたたきましょう。もし休符なしの「せーの！　パン！」だったら簡単です。ところが、8分休符を入れて「せーの！　ン・パン！」だとどうでしょう？　いきなり休みがあると、どれだけ合わせるのが難しいか、よくわかると思います。

さらに、この時代の**ff**（フォルティッシモ）といったら「一番強い音」を意味しますから、出だしを一斉に合わせるのが非常に難しいのです。冒頭部にかける指揮者や演奏者の緊迫感のある表情をぜひ見てほしいと思います。**楽譜や映像から視覚的に発見**することも鑑賞の楽しみの一つです。

指揮者の演奏解釈の違いはどこから？

『運命』冒頭の「ジャジャジャジャーン！」は、指揮者によって演奏の仕方がずいぶん違います。すぐに気づくのは、そもそもテンポがまるっきり違うことでしょう。もう一つが、冒頭の「ソソソミ♭ー」「ファファファレー」のフェルマータの長さでしょう。

どうして指揮者によってこんなに違うのか。指揮者はフィーリングで演奏しているのではありません。**れっきとした理論的根拠があって、解釈しているのです。**

フェルマータからわかる音楽解釈

冒頭のフェルマータの長さに注目してみましょう。私は以前、約100種類のCDを聴き比べ、どの指揮者がどのくらいの長さで演奏しているかを、一覧表にしたことがあります。* その結果、大きく分けて三つの傾向があることがわかりました。

録音の残っている最も古い**タイプA**は、19世紀末から20世紀初頭にかけての演奏法で、リヒャルト・シュトラウス（1864-1949）の演奏のようにフェルマータを長ーく延ばしたもの。

『運命』「ジャジャジャジャーン」冒頭部の演奏タイプ

タイプA：19世紀型
8小節フレーズ（長いフェルマータ）＝4拍子を2回ずつ振る感じになる

୨ソソソ	ミー	ー	ー	ー	ー	ー	休み	୨ファファファ	レー	ー	ー	ー	ー	ー	休み	୨ソソソ
(8)	1	2	3	4	5	6	7	8	1	2	3	4	5	6	7	8

タイプB：標準型
4＋6小節フレーズ（短いフェルマータ）＝フェルマータを3拍分にとる
（後半は楽譜が1小節多いので4拍分にみえる）

୨ソソソ	ミー	ー	ー	୨ファファファ	レー	ー	ー	休み	୨ソソソ
(4)	1	2	3	4	1	2	3	4	5	6

タイプB'：古楽型
基本はBだが、前半・後半が同じ長さで、休みの小節なし

୨ソソソ	ミー	ー	ー	୨ファファファ	レー	ー	ー	୨ソソソ
(4)	1	2	3	4	1	2	3	4

タイプB"：中間型
基本はBだが、長めにとり、休みの小節なし（クライバー流）

୨ソソソ	ミー	ー	ー	ー	ー	୨ファファファ	レー	ー	ー	ー	ー	୨ソソソ
(6)	1	2	3	4	5	6	1	2	3	4	5	6

タイプC：モットー型
クナッパーツブッシュ流（冒頭を「ソッソッソッ」とノックのように強調）

୨ソッソッソッ	ミー	ー	ー	୨ファッファッファッ	レー	ー	ー	୨ソソ
(4)	1	2	3	4	1	2	3	4

1小節を1拍とカウントするなら、なんと7拍分。文字で書くと、「ソソソ｜ミ♭ーーーーーー」「ファファファ｜レーーーーーー」のような感じになります。つまり、8拍分（＝8小節）をひとまとまりと考えたパターンです。

しかし、曲の冒頭ならばともかく、繰り返し記号で冒頭に戻ってきた部分や、曲の途中で7拍分も延びると、突然急ブレーキがかかって音楽が停止してしまったように聴こえて、録音編集ミスみたいな違和感があります。

でも、なぜこのような演奏スタイルがあったのでしょうか？ それは、『運命』交響曲は冒頭2小節の「ジャジャジャジャーン！」という**リズム・モチーフだけからできている、という解釈**だったからでしょう。

それはそれで間違っていないのですが、今日では最初の5小節間でメロディ的なひとまとまりと考えられるようになりました。すると、必然的に演奏も変わります。

35

フェルマータに隠されたビート感

最近の演奏で最も多い**タイプB**は、同じように1小節を1拍と数えたなら、フェルマータが3拍分、つまり大きな4拍子のような感じになります。

ちなみに、このような「**4小節のフレーズ感**」のことを、音楽理論ではドイツ語で**クヴァドゥラトゥーア** Quadratur といいます。文字どおりには求積法という意味ですが、意訳するなら「2^n（2のn乗）フレーズ法」とでもいえるでしょう。このフレーズ感こそが、**古典派時代をリズム的に決定づける様式特徴**なのです。ロマン派以降になると、これを意図的に壊していこうとするのですね。たとえばショパンやリスト、ワーグナーがそうです。ブラームスなどになると、もっと激しくぶち壊します。

「2^n（2のn乗）フレーズ法」などと書くと難しく感じてしまいがちですが、実は楽器や歌のレッスンのときに皆さんが体験したこと（あるいは今でも日々普通に実感されること）を「理論用語」で述べているにすぎないのです。**理論（＝知識）と実践（＝演奏）が鑑賞で結びつく**、とはこのことですね。

この「2^n フレーズ法」を前提にするなら、出だしの小節はアウフタクトに相当する小節から始まっています。すなわち、8分休符を「ン」と表記するなら、「（1・2・3・）ンソソソ｜ミ♭－2・3・ンファファファ｜レ－2・3・4・（5）」みたいな感じ方です。なお、二つ目のフェルマータの前が1小節多いので、（5）を付け足しました。

話は脇道に逸れますが、**古典派の作品では、「フェルマータでもビート感は決して止まらない！」**ことは、皆さんにもう1回体感しておいてほしいですね。フェルマータは、けっしてただ任意の長さ（つまりテキトーに）延ばすのではない、ということです。きっと、古典的なフレーズでできている**日本歌曲を歌う場合にも役立つ**はずですよ。

あの「ジャッ・ジャッ・ジャッ・ジャーン！」は誰？

普段あまりクラシック音楽を聴かない人に『運命』の出だしを歌ってもらうと、しばしば「ジャッ・ジャッ・ジャッ・ジャーン！」と表現します。これが、演奏スタイルの**タイプC**です。

実はこれは、ハンス・クナッパーツブッシュ（1888-1965）の演奏流儀なのです。フェルマータの長さにはあまりこだわらず、また前後のテンポには無関係に、ジャ、ジャ、ジャ、ジャーン、とゆっくり音を切ります。すなわち、最初の5小節間を**交響曲全体の「モットー（標語）」**と考えて特別な意味づけをするのです。

タイプCの演奏例は実際はかなり少ないのですが、きわめて印象的なために、一般的な刷り込みが残っているのでしょうね。

以上のように、指揮者の解釈の違い、かつ理論的根拠の違いが、フェルマータの長さや演奏の仕方に表れるわけです。鑑賞授業で、理論的根拠まで生徒に求める必要はまったくありませんが、少なくとも**教師は「知らない」ではすまされない**と思います。

＊野本由紀夫「交響曲をカタチで聴く」
『200CD 交響曲の秘密』、2005年、学習研究社、p.87-97。演奏比較の一覧表は、p.93

指揮者による演奏時間と演奏タイプの違い

Fg.＝ファゴット　Cor.＝ホルン
「再現部 Fg.」の欄については、p.40 参照。
全集は、「ベートーヴェン交響曲全曲集」の中の 1 枚の意味。
ベーレンライター版は、デル・マーが校訂した原典版楽譜を使用した演奏。
B&H 新版は、ブライトコプフ新校訂版の原典版楽譜を使用した演奏。

指揮者	録音年	オーケストラ	第1楽章	演奏タイプ	繰り返し	再現部 Fg.	備考
ニキシュ	1913	ベルリン・フィル	6:43	A	なし	Cor.	史上最古の『運命』全曲録音
R．シュトラウス	1928	ベルリン国立歌劇場管	5:48	A	なし	Cor.	
山田耕筰	1935	新響	8:32	B		Fg.	日本最古の『運命』録音
フルトヴェングラー	1937	ベルリン・フィル	7:37	(A)		Cor.	戦前の演奏
トスカニーニ	1952	NBC	7:11	B		Cor.	
クリュイタンス	1957, 58	ベルリン・フィル	8:24	(A)		Cor.+Fg.?	全集
ワルター	1958	コロンビア響	6:24	A	なし	Cor.+Fg.?	全集
クナッパーツブッシュ	1962	ヘッセン放響	9:51	C		Cor.	
セル	1963	クリーヴランド	7:31	B		Cor.	全集
ベーム	1970	ウィーン・フィル	8:37	B		Cor.	全集
クライバー	1975	ウィーン・フィル	7:22	B"		Fg.	
カラヤン	1982	ベルリン・フィル	7:13	B		Cor.+Fg.?	全集 DVD
モニカ・ハジェット	1983	ハノーヴァー・バンド	7:35	B"		Fg.	古楽器／全集
朝比奈 隆	1985	大阪フィル	9:32	C		Fg.	全集
ショルティ	1986	シカゴ響	8:13	(A)		Fg.	全集
ホグウッド	1986	エンシェント室内管	6:45	B'		Fg.	古楽器／全集
ノリントン	1988	ロンドン・クラシカル・プレイヤーズ	6:32	B		Fg.	古楽器／全集
チェリビダッケ	1992	ミュンヘン・フィル	7:09	C	なし	Fg.	
ガーディナー	1994	オルケストル・レヴォリュショネル・エ・ロマンティク	6:30	B'		Fg.	古楽器／全集／B&H 新版
ジンマン	1997	チューリヒ・トーンハレ	6:49	B		Fg.	ベーレンライター版 世界初録音
小澤征爾	2000	サイトウ・キネン	6:54	B		Fg.	全集
アバド	2001	ベルリン・フィル	7:24	B'		Fg.	全集 DVD
ラトル	2002	ウィーン・フィル	7:24	(B)		Fg.	全集
金 聖響	2004	オーケストラ・アンサンブル金沢	7:08	B'		Fg.	リハの DVD 付き CD

レクチャー **11**

交響曲第5番『運命』ハ短調（後編）
ベートーヴェン作曲

> **聴き取るポイント**
> ・途中から始まっている？
> ・冒頭部の和声法（多義性と半終止）
> ・指揮者の解釈と演奏スタイルの違い
> ・「よい演奏」の基準は変わる

これは途中から始まった曲⁉

レクチャー10に続いて、ベートーヴェンの『運命』交響曲を取り上げましょう。レクチャー10だけみても、この曲がいかに**音楽史の知識や理論攻めにしないと理解できない高度な作品**か、垣間見られたと思います。

私はこの交響曲をこれまで何回もオーケストラで実際に指揮してきましたが、この第1楽章を指揮していると、「この曲って、もしかして途中から始まってる⁉」と感じてしまうのです。

提示部（第1〜124小節）を繰り返して冒頭部分に戻ってきた瞬間もそうですし、再現部に入る箇所（第248小節、譜例2）もですし、とりわけコーダに入るとき（第478小節、譜例3）が一番「途中感」が強いです。

さあ、ここからアナリーゼ（**根拠の言語化**）の出番です。

そもそも**冒頭の5小節間（譜例1）**は、どのように和声付けされているのでしょうか。ハ短調 c: の楽章が「ソ−ミ♭」の音で始まっているのだから、当然「ド−ミ♭−ソ」＝主和音（c：I）での開始とお考えのあなた、ベートーヴェンの術中にはまりましたね。

譜例1

作戦その1

ソナタ形式でできているこの曲の提示部後半（第2主題から繰り返し記号まで）は、変ホ長調 Es:（＝平行調）に転調しています。その耳のまま冒頭へ戻るので、そのとき「ソ−ミ♭」は、変ホ長調 Es: の主和音「ミ♭−ソ−シ♭」（Es：I）であるかのようにさえ聞こえます。

つまり、わざわざ第1主題を主音なしのユニゾンで始めているのは、あえて和声を不明瞭にし、結果的に**調性上の「多義性」**をねらっていた、と考えられます。そのことが、冒頭部を「一義的に明確な開始」に聞こえさせていない一因なのでしょう。

ちなみに、展開部の始め方も同様の作戦です。展開部はホルンにより「シ♭ シ♭ シ♭ ソ−」で始まりますが、変ホ長調 Es：「ミ♭−ソ−シ♭」

に含まれる「シ♭－ソ」かと思わせておいて、まさかの「ド－ミ－ソ－シ♭」（ヘ短調 f: の属七和音、f: V_7）の一部だったと判明するのです。やはり多義性ねらいです。

作戦その2

第1楽章の進行とともにやがてわかるのですが、**冒頭部は主和音で始まっていないかもしれません！** 譜例2も譜例3も「ソソソ♭ミ♭ ー」の主題が回帰してきたとき、トランペットとティンパニが「ソ」の音をずっと演奏しています。とりわけティンパニを強打すればするほど、響きのうえでのバス音が「ソ」に聞こえます。

つまり、「ソソソミ♭ー」はハ短調の主和音（c: I）ではなく、第2転回形（c: I^2）に聞こえます。したがって、譜例1の和声は「c: I^2 V」、つまり**「ドミナント」**なのです。もっというと、**「半終止」**になっているのです。

だからこそ「ソソソ｜ミ♭ ー｜ファファファ｜レ ー｜ー」は、登場するたびに「曲の途中⁉」という感覚を引き起こしてきたわけですね。

冒頭5小節が「半終止（＝ドミナント）」で始まっているという解釈は、譜例2の直前が「ラ♭－ファ」というサブドミナントの連続であることや、譜例3の直前がずっと属音「ソ」の連続による**「保続音（オルゲルプンクト、オルガン音）」**となっていることからも、否定できないように思われます。

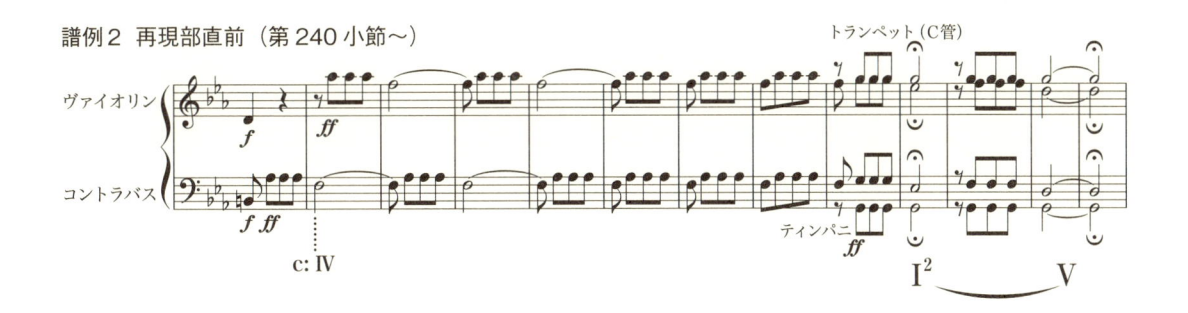

譜例2 再現部直前（第240小節～）

譜例3 コーダ直前（第475小節～）

「よい演奏」の基準は変わる

　その他の箇所で、ぜひ聴き比べをしてほしいのは第2主題の導入部分です。ホルンが実音でいうと「シ♭ シ♭ シ♭｜ミ♭ー｜ファー｜シ♭ー」と勇壮に演奏しますが（第59小節、譜例4）、注目してほしいのは再現部（第303小節、譜例5）です。楽譜には「ファゴット」と書かれています。しかし、ここを提示部と同様にホルンで吹かせる指揮者も多いのです（p.37の表中の「再現部 Fg.」の欄参照）。それはなぜでしょう？

　実はベートーヴェンの時代のホルンは、指で音の高さを変えるバルブがついていなかったので（ナチュラル・ホルンといいます）出せる音が限られていました。当時のホルンだと、再現部の「ソソソ｜ドー｜レー｜ソー」の「ド」「レ」の音が出ませんでした。だからベートーヴェンはファゴットに吹かせたのですね。

　ここでも指揮者の立場の違いが表れます。本当はベートーヴェンもホルンで吹かせたかったのだ、と考える指揮者は、ここをホルンに修正します。こうした**「善意の」修正**を、音楽業界では**「レトゥーシェ」**（フランス語でまさに「修正」）といいます。

　一方、ベートーヴェン大先生ご自身がファゴットで書いているのだから、直すなんて畏れ多い！と考える指揮者はそのままファゴットで吹かせます。かつてはホルンで修正版での演奏が多かったのですが、今は**「楽譜に忠実に」**という立場からファゴットでの演奏が完全に主流です。

　このように**演奏解釈は時代とともに変わります**。したがって、鑑賞授業の一つの注意点でもありますが、教材に**いつまでも同じCDを使い続けるのはすすめられません**。10年前によいといわれていた演奏が、10年後には時代遅れといわれる可能性もあるからです。

　教師は常に演奏スタイルに敏感であるべきでしょうし、**鑑賞にふさわしい音源や映像を日頃からチェック**しておくことが大切だと思います。

譜例4
ホルン（変ホ管）

譜例5
ファゴット

レクチャー **12**

組曲《動物の謝肉祭》より『白鳥』
サン・サーンス作曲

聴き取るポイント
・ピアノ伴奏の音型
・和音の響きの変化
・チェロの音色と表情

白鳥は１羽？　群？
湖面？　空？　陸上？

サン・サーンス（1835-1921）の『白鳥』（1886）ですが、たいていの教科書には、湖面にいる白鳥の写真や絵が載っていると思います。でも、これは**鑑賞教育上、好ましくない**ですね。まず音楽だけを聴いて、「何の動物が何をしているところでしょう？」と質問したいところです。

白鳥という情報がすでに出てしまっているならば、せめて「今、白鳥は空を飛んでいるのでしょうか？　湖にいるのでしょうか？　地上を歩いているのでしょうか？　どれだと思う？」みたいな質問の仕方をしたほうが、**音楽からイメージを広げる活動や音楽の言語化**にはいいと思います。

そもそも、白鳥は何羽ぐらいいるのでしょうか？　あたり一面、群れでいるのでしょうか？　孤独な１羽だけなのでしょうか？　タイトルの原語が Le Cygne と単数形なので１羽なのは明らかなのですが、フランス語がわからなくても、音楽だけからも群れではないことはわかります。

大切なのは、じゃあ、どうして、そう聞こえたんだろう？　なぜそう思ったんだろう？　その音楽的根拠なんですね。

たとえば生徒が「湖に１羽の白鳥がいる」と答えた場合、その湖面は静かなんだろうか？　風が強くて波立っているのだろうか？　どういう湖だと思う？というところから**音楽の要素に注目**してみます。音楽を聴いて、「ピアノの音が静かでおだやかな感じがします」とか、「チェロがのびやかで、優雅に感じます」などと気づけばいいですね。

楽譜をグラフィックにとらえる

曲の出だしのところを聴いてみましょう（譜例１）。３声部に聴き取れますか？　ここで、ぜひ楽譜を見てみましょう。**楽譜をグラフィックに見て、そこから受ける印象も重要なのです。**

ピアノ伴奏の部分（本来は２台ピアノですが）は低音（左手）に８分音符の動きがあり、そのうえに（右手）16分音符が並んでいます。その形がさざ波のようにも見えませんか？　低い音はゆっくりした動きで、高い音は細かい動きで、同じような波型がずっと続いていますね。

しかも、最後まで音型が一様で、高さもほとんど変わらず平らです。だから湖面の静かな感じがするんですね。演奏映像があれば、ピアニス

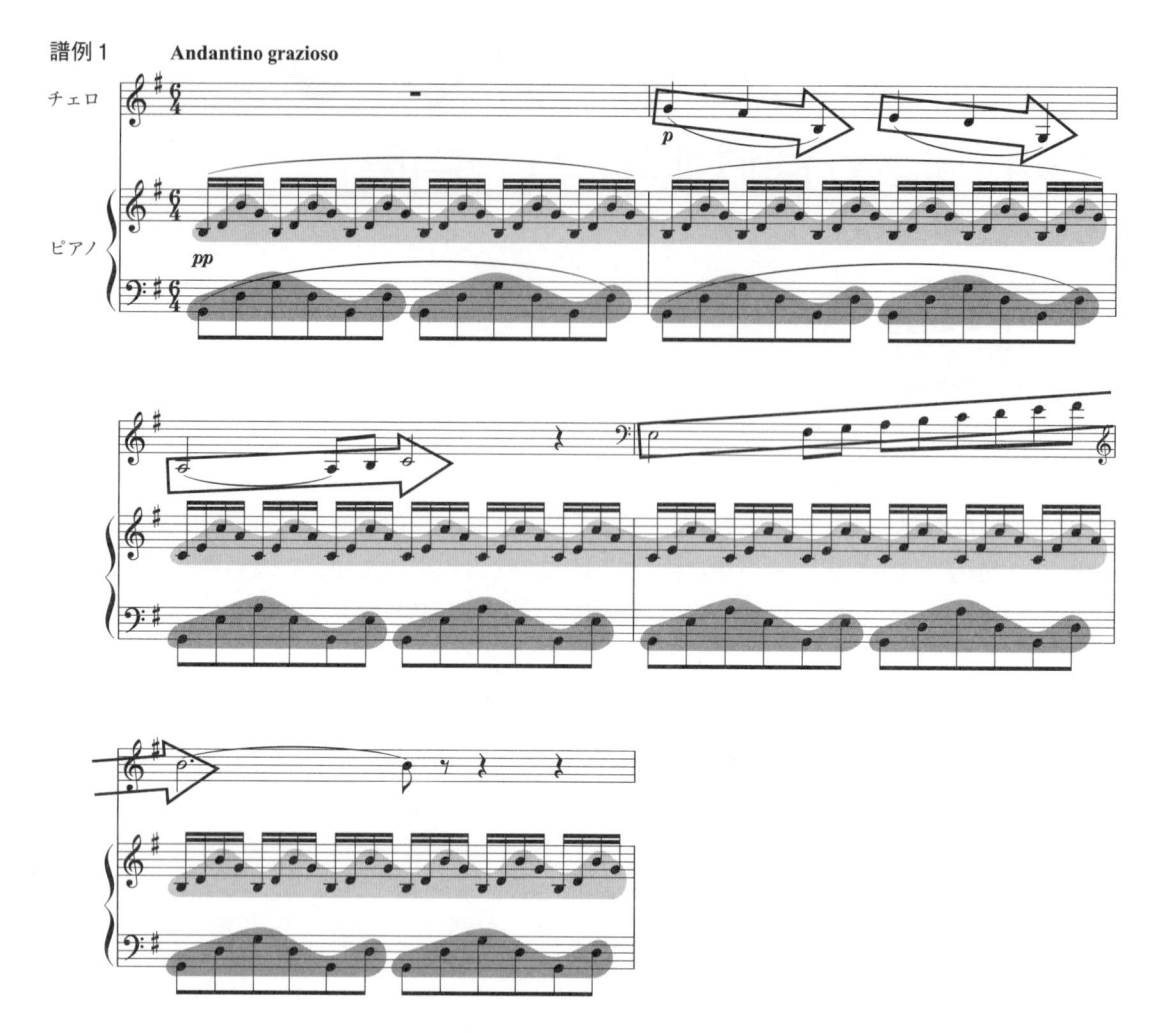

譜例1 Andantino grazioso

トの手のポジションがほとんど動かないことが、もっと歴然と確認できます。

　ここでぜひ、**「もし、こうだったら」という比較演奏**を示してください。たとえば、右手と左手をそっくりそのまま入れ替えて演奏してみたら……。あるいは、右手が「シレシソ」ではなく、「シレソシ」とか逆の「シソレシ」だったら……。波型や静けさの根拠が、右手の音型にあることが明確になると思います。

　一方、チェロはメロディを演奏していて、4分音符が使われています。チェロのメロディが「白鳥だ」と答える生徒が一番多いだろうと思いますが、それは**チェロが一番長い音符を弾いていて、悠然としている**感じがするからですね。

　ピアノの伴奏部分の音が変化するところは気持ちも変化するところですから、そういう音の変化なども聴き取ってみましょう。

♯がついただけなのに景色が変化する

　次に、チェロが演奏しているメロディに注目してみましょう。メロディがゆったり下行して、それから少し音が上がり、その後、音が急上昇しています（譜例1）。音が上がっていくエネルギー感をチェリストはど

譜例2

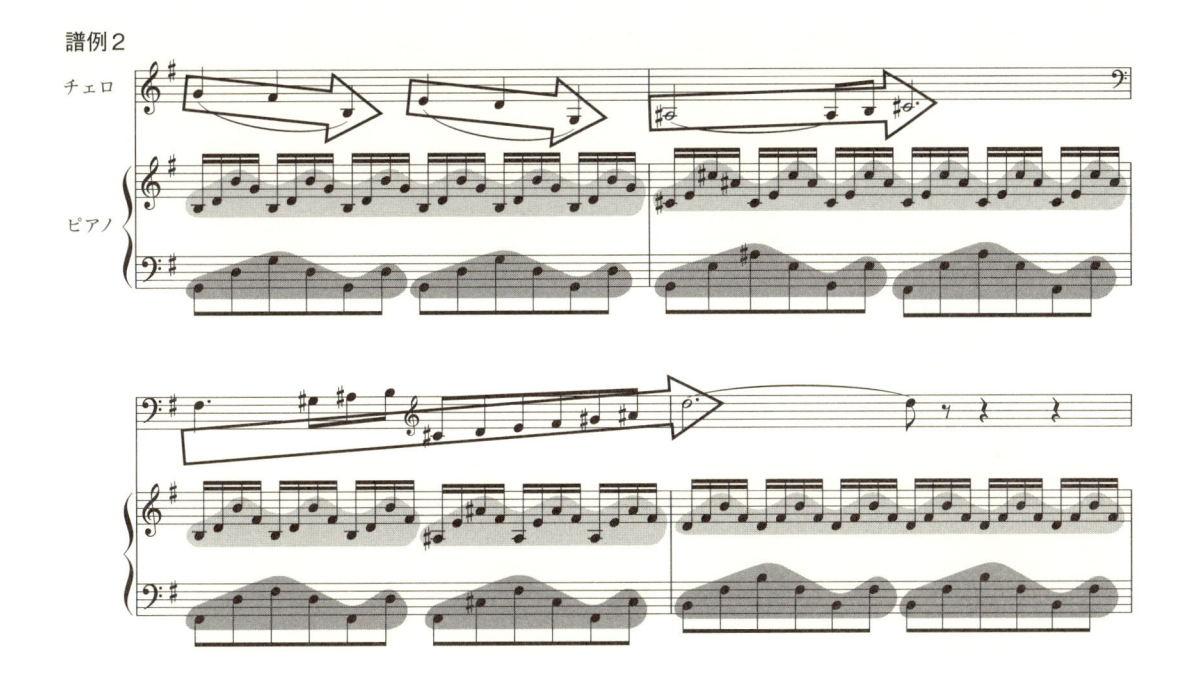

んなふうに弾いているのか、チェロの手の動きが見える映像で見てみるとおもしろいと思います。

同じようなメロディは曲中6回出てきますが、2回目のときは、ラに♯がつき、構成音が少しだけずれます（譜例2）。すると2回目は1回目よりももっと高い音まで上昇します。♯がついただけなのに、響きも**長調から短調へと変化**し、**音の景色が変わってしまいます**。このような響きの変化も、ぜひ聴き取ってほしいと思います。

低音楽器が高音を弾くからこその、せつない感じ

チェロという楽器にも注目してみましょう。それには**演奏映像が絶対必要**ですね。チェロという低音楽器が高い音を弾くからこそ、繊細でせつない感じが出るわけですね。同じメロディをヴァイオリンで弾いたら印象もまるで変わってしまいます。チェロで弾くからこそ、白鳥という大きな鳥の感じが出るのでしょう。優雅な感じがするのはチェロだからですね。もし、フルートで弾いたら、スズメみたいに聞こえるかもしれませんよ。

組曲《動物の謝肉祭》の中で、皮肉や風刺が含まれていないのは、この『白鳥』だけです。もともとこの作品集は、仲間うちだけで楽しむためにつくったものなので、当時流行していたジャック・オッフェンバック（1819-1880）の《天国と地獄》（1858）をわざとゆっくりしたり（第4曲『亀』）、自分のことを使い古しの人間と表現したり（第12曲『化石』）、完全にふざけた感じの作品集でした。だから楽譜を出版することが許されず、サン・サーンスが生きているうちは発表されませんでした。その中で**唯一、生前に演奏が許されたのが『白鳥』**だったのです。

レクチャー **13**

組曲《動物の謝肉祭》より（後編）
サン・サーンス作曲

聴き取るポイント
・テンポによる印象の違い
・音域による印象の違い
・なぜそう聞こえるのか

全14曲からなる組曲《動物の謝肉祭》(1886) は、もともと仲間うちで楽しむためにつくった曲です。皮肉や風刺が含まれているので、サン・サーンス (1835-1921) の生前に公開が許されたのは『白鳥』だけでした。レクチャー12ではその『白鳥』について解説しました。今回はそれ以外の曲を見ていきましょう。

テンポが違うだけで、まったく違った表情に

第4曲『亀』は、当時流行していたジャック・オッフェンバック (1819-1880) の《天国と地獄》(1858初演) を、わざとスローモーションにした曲です（譜例1）。**流行りものに弱いパリの人たちを風刺している**わけですね。ほら、ゆっくりにしたら、こんな程度のものだよ、という感じです。この曲から聴き取れる音楽の要素は、このように**同じメロディでも、テンポが違うとまったく違った表情になる**ということです。

たとえばショパン (1810-1849) の『別れの曲』(1832) も、最初はヴィヴァーチェと表記していました。最終的にはレントになりましたが、テンポが違うと、そこにこもる感情も違ってきますので、曲の印象もがらっと変わってしまいます。演奏の際の**テンポ選びがいかに重要か**、ということですね。

それを逆手にとったのが『亀』です。伴奏のピアノの刻みが一貫して変わらず *pp* で演奏されるので、スローモーションの感じがよく出ています。メロディをユニゾンで演奏している弦楽器の弓の動きもゆっく

譜例1 『亀』　弦楽器は全員がユニゾン

りです。
　テンポは曲の性格を決定づける重要な要素ですね。ピッチや音量も大切ですが、曲を聴いて最初に気づくのがテンポです。鑑賞する際には、ぜひいろいろな CD や DVD を聴き比べ、テンポの違いに着目してみましょう。

巨大なものは低音で表現される？

　第5曲『象』を聴いて、これが象かどうかはわからなくても、少なくとも小鳥やリスなどの**小型の動物には聞こえませんね。なぜでしょう？**
　その理由の一つは、コントラバスが演奏しているからですね（譜例2）。音が低いと大きい動物に感じる。人は、**音域によって、描かれているものの「大きさ」を予測する**からです。でも、それはなぜでしょう？
　たとえば、小鳥や小動物の鳴き声はどうでしょうか？　鳴き声は高いですね。人間だって小さな子どもの声は大人より高く、体格の大きな人は声が低い。巨大なもの、たとえばライオンやクジラ、地響き、地鳴りなどは低音もしくは低周波です。そういうことを**経験上知っている**から、大きいものほど低いと感じるのでしょう。それを効果的に使ったのが、映画音楽や BGM、効果音といえますね。
　この曲に限らず、たとえば映画『スター・ウォーズ』のダース・ベイダーのテーマ（『帝国のマーチ』）を高い音域で演奏してみたらどうでしょう。なんだかすごくイメージが違いませんか？　**音域が変わるだけで、曲の印象も大きく変わってしまう**ということです。
　低音で演奏された『象』がコミカルな感じに聞こえるのは、**3拍子の舞曲**だからでしょう。なお、この曲は変ホ長調 Es: ですが、楽譜をよく見るとけっこう転調が激しく、革新的につくられていることがわかります。**和音の響きの変化**などにも注意して聴いてみましょう。

譜例2 『象』　コントラバスは記譜音より1オクターヴ低く鳴る

弦楽器によるユニゾンの効果

　第1曲『序奏と獅子王の行進曲』は、弦楽器全員がユニゾンです。このように弦楽器のユニゾンを効果的に使った作品は、ベートーヴェン（1770-1827）やチャイコフスキー（1840-1893）にも数多くありますが、弦楽器のユニゾンは倍音が重なり、オーケストラの人数以上の分厚い響きに聞こえるという効果があります。この曲は、それを生かした曲というわけです。
　伴奏のピアノだけが**空虚5度**（三和音の3度音を抜いた響き）を連続させています（譜例3）。空虚5度は田園風景などを表すときにも使われる**素朴な響き**なので、洗練されていない無骨な感じ、どこか**野性的**な感じがします。だから、荒々しいライオンなのでしょうね。

譜例3 『獅子王の行進曲』空虚5度

空虚5度

また、この曲には半音階が何度か出てきますが、これは「リストの半音階」といわれるもので（譜例4）、左右の手を交互に使って半音階を弾きますので、大きな音が出ます。半音階そのものは調性をもたない音階ですから、不気味さや粗暴さを感じさせます。

譜例4 『ライオン』
リストの半音階
第2ピアノ

なぜそう聞こえるのか？を探ってみましょう

　動物の鳴き声を描写している曲もありますね。第2曲『雌鶏と雄鶏』はピアノと弦楽器が「コケッ」という鳴き声を表現しています。第9曲『森の奥のカッコウ』はクラリネットがカッコウの鳴き声を。第8曲『耳の長い登場人物』は「耳の長い」という言葉からウサギを連想するかもしれませんが、これはロバの鳴き声です。

　動物以外の曲でいえば、第7曲『水族館』は半音階的な進行が神秘的な感じを表現しています。キラキラ輝く感じがするのは、分散和音を弾いているのがピアノだからですね。

　第12曲『化石』は、自分は生きながらにしてすでに化石（時代遅れ）である、という自虐ネタの曲です。途中でフランス民謡や『きらきら星』などおなじみの過去の曲がたくさん出てきて、その中に自分の曲も入っているというわけです。第14曲『終曲』は、これまでの楽曲がオールスターキャストでメドレーの形で出てきます。

　ぜひ、「なぜそう聞こえるのか？」というところに着目して、鑑賞してみましょう。

レクチャー 14

交響詩『フィンランディア』
シベリウス作曲

聴き取るポイント
・音量による意味伝達
・意味を伝える動機法
・楽器法による意味伝達
・民族性の表現

演奏が禁じられた作品

シベリウス（1865-1957）の作品の中で最も有名な交響詩『フィンランディア』は、**音楽が政治に影響を与えた**典型的な例の一つですね。この曲が作曲された1899年当時、フィンランドはロシアの圧政に苦しめられ、独立運動が起こっていました。あまりにフィンランドの人々の**愛国心を目覚めさせる**ような曲だったため、ロシア政府が演奏を禁じてしまったという作品です。

この曲の一体どこに、そのような愛国心に訴えるメッセージが込められているのか、さっそくアナリーゼしてみましょう。

曲の冒頭は、金管楽器が演奏する重い感じの序奏で始まりますが、メロディの音が下行しているのに ＜（クレシェンド）が書いてあるところがミソですね（譜例1）。しかも最後についている *fz*（アクセント）。このアクセントが**人々の怒り**のように聞こえてきませんか、やり場のない怒りに。そのため、冒頭部は**「怒りのモチーフ」**とか**「苦難のモチーフ」**と呼ばれることがあります。

もしこれが逆に、音の下行にあわせて ＞（ディミヌエンド）、かつ *pp* だったらどう聞こえるでしょう。強い怒りどころか、意気消沈、あきらめのように聞こえてしまいますよね（p.87「ため息のモチーフ」参照）。

ピアノでかまいませんから、ぜひ比較演奏を生徒さんに聴かせてあげ

譜例1 「怒りのモチーフ」または「苦難のモチーフ」

てください（いわゆる**「根拠の言語化」**の、**気づきのヒント**として）。

　もう一つ付け加えると、ここはトロンボーンとチューバ、ホルンを主体として演奏しています。大型金管楽器の低音で強奏していますので、その咆えるような音色・音量からも、ロシアの圧政や人々の怒りの大きさまで伝わってくる感じがします。

　ついでにいうと、冒頭部分は**一体、何調**なのでしょうね。嬰ヘ短調fis: ？　イ長調 A: ？　どちらであっても、この曲の主調は変イ長調 As: ですから、とんでもない遠い調で開始されていることがわかります。それは、1155年にスウェーデンに支配されて以来、**760年にも及ぶ独立への道のりの遠さ**を表しているのかもしれませんね。

戦闘の呼びかけモチーフ

　譜例2に出てくる「タッタタタタタ　タ・タッ・タ」というリズムは、**「戦闘の呼びかけモチーフ」**といわれているものです。トランペットとトロンボーンが吹奏するだけに、ファンファーレ的に聞こえるのでしょうね。さらに、木管楽器、ホルン、弦楽器による**「勝利に向かうモチーフ」**。これは、上行音型だからこそ、上昇志向に聞こえるのでしょう。こんなところからも民衆が今、まさに蜂起しようとしているんだ、ということが感じられますね。

フィンランドらしさが聴き取れる箇所①

　この曲は**フィンランドらしさ**が随所に聴き取れるところも特徴の一つです。たとえば4拍子の中で5拍子が展開されていくところに注目してみてください（譜例2）。少しずつ、小節線がずれていくように聞こえますね。5拍子は**フィンランド民謡**にとても多く出てくる形ですから、それを取り入れているのだと思います。

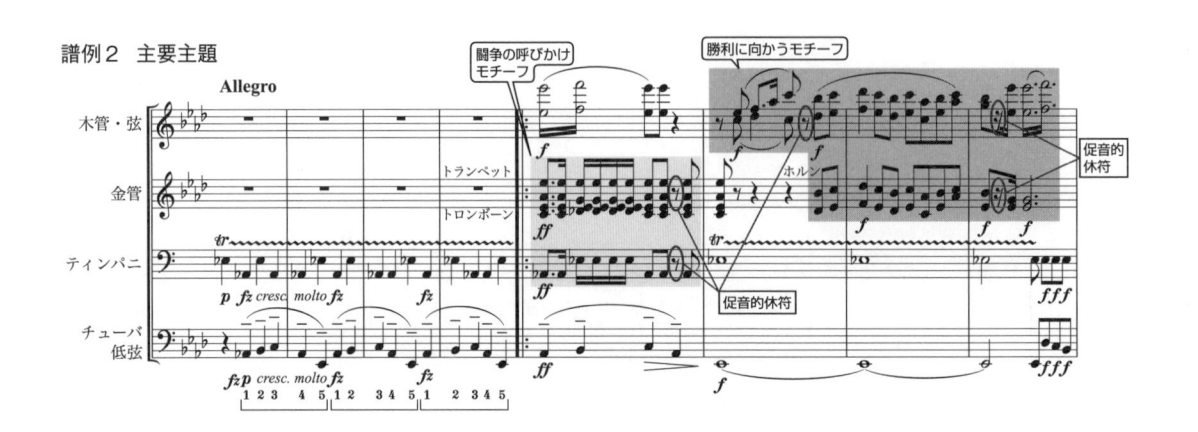

譜例2　主要主題

ついでにいうと、シベリウスのティンパニは、しばしば**「歌うティンパニ」**といわれます。普通はリズム楽器として使うティンパニですが、ほとんどリズムを刻むことはなく、保続音やここの5拍子のように、メロディであるかのように使われるのです。その点もぜひお聴き逃しなく。

フィンランドらしさが聴き取れる箇所② 第二の愛国歌になったメロディ

中間部は、のちに歌詞がつけられて「フィンランディア賛歌」といわれるようになる美しいメロディです（譜例3）。フィンランド語では自国の呼び名である**「スオミ（Suomi）賛歌」**ですね。

このメロディには、**促音（小さな「ッ」）のような短い休符**（8分休符）が入っているのも特徴的です。これはフィンランド語に関係していると思います。フィンランド語ではいわゆる短母音といわれている、たとえば人の名前でもニッカネンとか、ハッキネンとか、小さな「ッ」が入る単語がきわめて多いのです。まさに**フィンランド語的なメロディ**なのです。

この箇所は、ぜひ伴奏部分にも注目してみてください。弦楽器が*ppp*かつ細かいトレモロで演奏しています。この細かい刻みが、まさにフィンランドの**空気感**に聞こえませんか？ 寒い感じがあって、氷に囲まれていて、厳しさはあるけれど、豊かな水があって、豊かな自然がある。そんな美しく、澄んだ空気がよく表されていると思います。

この曲は、最後は再び戦いのモチーフになりますが、ラストは「スオミ賛歌」によって壮大に閉じられます。まさに最後は、フィンランドの勝利、独立の成功で終わるわけです。

それを言葉ではなく、音楽で伝えた、感じさせたのが実にすごいことだと思います。**スメタナの交響詩『ブルタバ』***と似た内容と形式だ、ということにも気がつくといいですね。

* p.18-20 レクチャー5『ブルタバ』参照

譜例3 副主題「フィンランディア讃歌」

レクチャー 15

交響曲第9番『新世界より』ホ短調（前編・第2楽章）
ドヴォルザーク作曲

聴き取るポイント
- 楽器の社会史
- メロディ構成と作曲者の思い
- 休符の「凝縮された時間」
- 斬新な和声進行

ノスタルジックな気分になるのはなぜ？

　このレクチャーでは、ドヴォルザーク（1841-1904）の『新世界交響曲』（1893）の中から、「家路」として知られる第2楽章の話をしましょう。「家路」というのは後世の人がつけたタイトルですが、家が恋しくなって帰るということですね。この**ノスタルジックな感じ**は、どこからくるのでしょう？

　その根拠の一つが**イングリッシュ・ホルンの音色**です。伝統的にこの楽器は、田園的・牧歌的な意味合いで使われてきたので、その音色からノスタルジックな感じに聞こえるのでしょうね。

　このように、社会で果たしてきた役割からそれぞれの楽器に特定のイメージがつき、やがてそれが伝統となっていくことを、「**楽器の社会史**」と呼ぶことができます。

　ノスタルジックな理由の二つ目は、音階です。全体としては変ニ長調Des:の楽章ですが、メロディに使われているのが「レ♭・ミ♭・ファ・ラ♭・シ♭」の5音です。つまり、メロディに第4音ファと第7音ドがない「**ヨナ抜き音階**」でできているために、素朴な感じに聞こえるのですね（譜例1）。

　ぜひ先生が、メロディの最後の部分の「ミ♭ーレ♭　ミ♭ーシ♭ーレ♭ー」のところを「ミ♭ーレ♭　ミ♭ードーレ♭ー」と弾いてみて、どっちが素朴な感じがするか、聴き比べをするのもいいと思います（ちなみに、第113小節の1か所だけはシ♭でなく、変ニ長調Des:の導音「ド」で作曲されています）。

　ヨナ抜き音階は、音の並びの中で半音を避けた音階ですね。長音階の半音の箇所を抜くとヨナ抜きになります。いわゆる**モード（旋法）**です。ヨナ抜き音階はスコットランドをはじめ、日本でも民謡に多く使われてきた音階ですから、そのために懐かしいと感じるのかもしれません。

　このように、郷愁感の背景には、楽器がもつ音色の魅力や、音階の素朴さが隠れているということです。

譜例1　ヨナ抜き音階

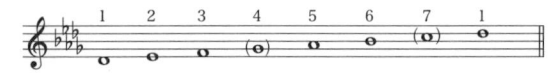

休符に込められた、望郷の念

メロディの構成にも注目してみましょう。

有名なイングリッシュ・ホルンのメロディは p で始まり、作曲者の「故郷であるチェコに帰りたい」という気持ちが感じ取れます。その思いはクレシェンドとともに徐々に強くなり、ついにあふれて f になります。クラリネットでその余韻があって、静かに（pp）落ち着く、という流れになっています（冒頭の金管コラールも同じつくりですね）。

特に注目すべきは、再現部の第105小節からです。ここは**室内楽編成の人数**になります（譜例2）。しかも弱音器を使います。**ここの「休符」はとりわけ重要**です。

休符は、音がないことではありません。この「間̆」は、帰りたいけど帰れない、焦がれるような望郷の念ではないでしょうか。弦楽器も一人ずつになっていくので、さらに**「内面」**と深く向き合う。そんな**凝縮された時間**こそが、この休符にはあるように感じられますね。

その後は一気にクレシェンドして f になります（第112小節）。ここは弦楽器全員になるわけですから、思いが止められないといった感じです。そして曲の冒頭と同じ和音のコラールが心静かに鳴り響いて、曲が終わります。

譜例2　第2楽章　終結部
第1ヴァイオリン2本、弱音器付き　　　独奏ヴァイオリン

調号が♭三つなので、このクラリネットはB管??　でも音はA管でないとおかしい!!

［自筆譜　第2楽章冒頭］

鉛筆で「バス（トロンボーン）とチューバ」と追加で記入されている

In B が斜線で消されている

斬新な和声の金管コラール

バルトークの中軸システム（この四つの調が、トニックとして機能）

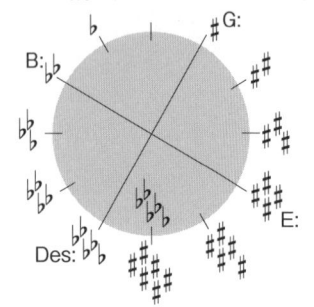

B:／G:／E:／Des:

冒頭の金管コラールは（前頁自筆譜参照）、第4楽章（第299小節から）にも出てきますから、第2楽章を象徴する和声進行といえます。これが実は、**かなり斬新な和声進行**なのです。

第2楽章の主調は変ニ長調Des:なのに、鳴り響く最初の和音がホ長調E:の主和音とは！　これはおそらく、前の楽章がホ短調e:だったので、その同主調なのでしょう。

もっとびっくりするのは、二つ目の和音です。ホ長調E:から**最も遠い変ロ長調B:の和音**！　和声記号で書くなら、「E-durの-°Ⅲpの同響異和音」と文章で記すことしかできません。この和音関係は20世紀のバルトーク（1881-1945）が好んで用いた進行（「**中軸システム**」）であり、**いかに時代を先取りしていたかがわかります**（図）。

実はドヴォルザークは、おっちょこちょい？

もう一度自筆譜を見てみましょう。音符は細かく丁寧に書かれていますが、よく見ると、実はけっこう間違いがあるのです。

たとえば冒頭のクラリネットです。出版譜にはA管（アー）と書いてあって、第5小節以降にB管（ベー）に持ち替えると指示されています。でも自筆譜には、最初からB管と書いて消した跡があります。調号も♭三つなので、B管のつもりだったのでしょう。ところが最低音のド♯またはレ♭がB管では出ない。A管じゃないと出ない。最初から間違えているわけですね。まったく間抜けです（笑）。

弦楽器に弱音器をつける（con sordini）と書いたきり、それを忘れて、どこではずせばいいのか書いていないとか、こんなのがいっぱいあるんですね。**どこか抜けていて、おっちょこちょい**。自筆譜からは、ドヴォルザークのそんな性格がうかがえます。

出番のほとんどないチューバとシンバル

演奏現場の話もしておきましょう。

全曲を通してチューバは第2楽章にしか出てきません。だから練習のときに「オレ、来たほうがいいの？」ということがよくあるんです。

自筆譜にはチューバの音は1音符も書かれていません！　チューバの使用は後から思いついたらしく、バス・トロンボーンが出てくるところに「チューバも」とあるだけです（自筆譜参照）。でも、どこまで一緒に吹くのかは書かれていません。

実際の現場では、最初の4小節だけを吹かせます。それだけでは気の毒なので、最後に冒頭と同じ和音が出てくるところで（第120小節から）再び入れることもあります。結局それでも、チューバは45分の曲の中でたった8小節しか吹かないわけです。

もっと出番が少ないのが、**シンバル**です。なんと**全曲中たった1発**、それも微妙な音量の*mf*でたたくだけです（第4楽章の第64小節）。

1発でも、ギャラ（出演料）は他の人たちとまったく同じなので、うれしいやら申し訳ないやら。奏者よりも、オーケストラの事務局のほうが経営的に頭を抱えてしまう「迷曲」でもあったのですね（笑）。

レクチャー **16**

交響曲第9番『新世界より』ホ短調（後編・その他の楽章）
ドヴォルザーク作曲

> **聴き取るポイント**
> ・作品の中の「チェコらしさ」
> ・多層なリズム
> ・終楽章への目的論
> ・チェコ・アメリカ・ドイツの統合

チェコ音楽の要素

このレクチャーでは、『新世界交響曲』（1893）の第2楽章（家路）以外の楽章を見ていきましょう。

そもそも曲名の『新世界より』とは、「アメリカ大陸からの、音楽によるお便り」という意味ですが、実は**アメリカ的音楽要素はこの交響曲にほとんどない**のです。

まずは第1楽章から**「チェコらしさ」**に注目してみましょう。ホルンが演奏する第1主題のメロディ「ミーソ｜シミー」（第24小節から）の**長、短、短、長という付点のリズム**は、ヴェルブニュクのような**中欧の民俗音楽やチェコの民謡に多く使われているリズム**です（次頁の譜例4の「第1楽章の主題」も参照）。

第2主題「ソーソ｜ミレー」（第149小節から）はアメリカの黒人霊歌に似ているといわれることもありますが、これも同じように**長、短、短、長のリズム**ですね。この作品はドヴォルザーク（1841-1904）のアメリカ時代の集大成だったわけですが、**直接的にアメリカの音楽を取り入れたというわけではありません**。音楽分析からは、むしろ**チェコ的な望郷の念が強く表れた作品**といえるわけです。

リズムのズレがおもしろい

第3楽章もリズムに注目して聴いてみましょう（譜例1）。

第49小節から、チェロとコントラバスがメロディを奏しますが、3拍子の**スケルツォのリズム**が特徴的です。ところが、ティンパニとトランペットは異なるリズム・パターンで演奏します。

譜例1　第3楽章（第49小節〜）リズムの三層　　ヘミオラのリズム

木管
トランペット／ティンパニ
低弦

スケルツォのリズム

譜例2　第3楽章（第294小節〜）記譜されたリタルダンド

それに対し、木管楽器群は3拍子を2拍ずつの区切りにした、いわゆる「**ヘミオラ**」というリズムで書かれています。ヘミオラは、小節線とは強拍の位置が少しずつズレていきます。つまり、この部分は**リズムの異なる三つの層が生み出すフレア（干渉現象）**におもしろみがありますね。

第3楽章の最後の部分（第294小節以降）、ヴィオラ・パートを見てみましょう（譜例2）。音の数が少しずつ減っていますね。これは人工的なリタルダンドです。

ここは演奏するのが意外に難しく、むしろ音符の数ではなく「リタルダンド」と書いてくれたほうがやりやすいのですが、おそらくテンポ感は守りたかったのでしょう（ドヴォルザークが尊敬していたブラームスにも、同様の例があります）。

もしかしたら、日本の拍子木のリズムのように、徐々に加速するとか減速するとか、そういった**アジア的な感覚**でやろうとしたのかもしれません。でも、それを西洋風に楽譜に書いて実際に演奏させるのは、演奏現場では結構難しいです。

第4楽章はオールスターキャスト

第4楽章は、この交響曲における**オールスターキャスト、総集編**といった感じです。つまり、これまでの楽章に出てきたメロディや要素が全部出てきます。第1楽章のメロディや長、短、短、長のリズム（譜例4）。第2楽章のメロディ（譜例3）や冒頭コラールの和声進行（譜例4）。第3楽章のスケルツォのリズム（譜例3）。いろいろなものが同時進行しながら、変形されつつ対位法的に組み込まれていきます。

ドヴォルザークも、言いたかったことが、ここでようやく全部言えた！みたいな感じですね。**どこにどの要素が出てくるのかを探してみるのもおもしろいと思います。**

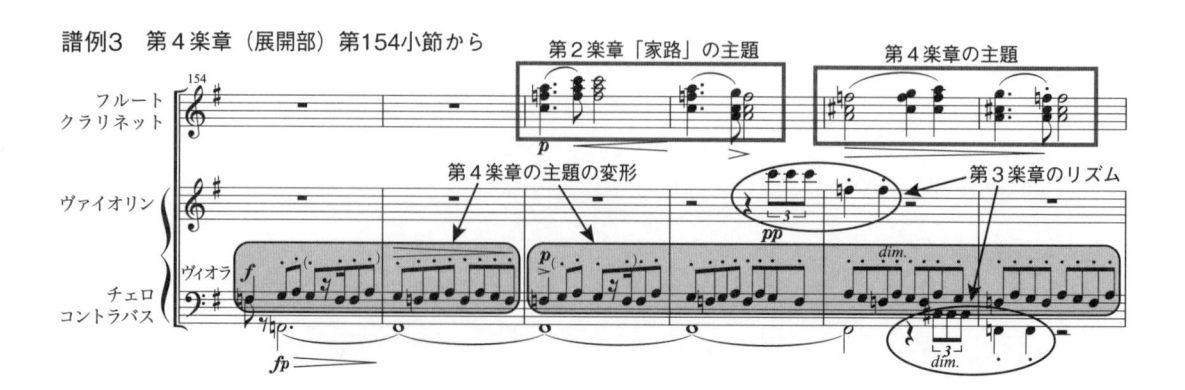

譜例3　第4楽章（展開部）第154小節から

譜例4 『新世界より』のクライマックス

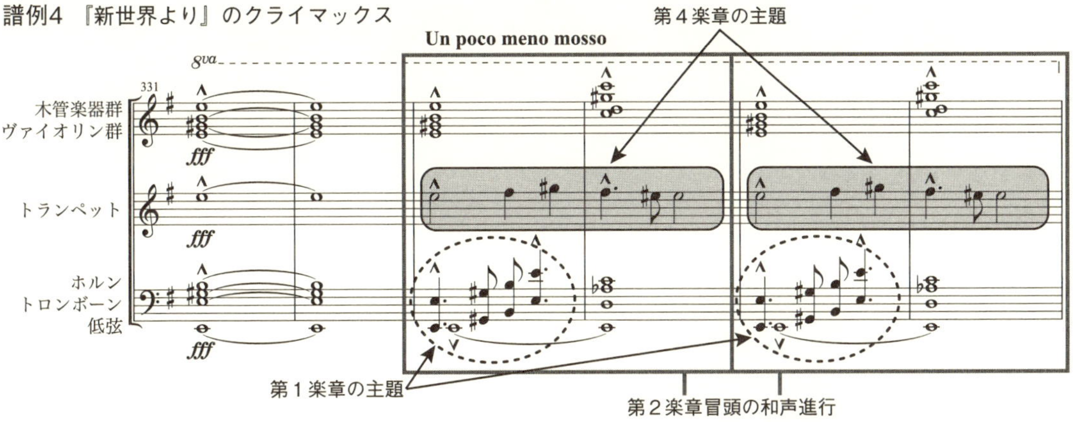

（譜例中のラベル）
- 木管楽器群／ヴァイオリン群
- トランペット
- ホルン／トロンボーン／低弦
- Un poco meno mosso
- 第4楽章の主題
- 第1楽章の主題
- 第2楽章冒頭の和声進行

目的論でできている交響曲

当たり前のことですが、このような**オールスターキャストの組み合わせ**は、偶然の結果ではなく、「**意図的**」な作曲です。曲の最初から、最後に組み合わせるつもりだったのです。つまり、最後にすべての主題要素が統合されることを「目的地」あるいは「目標」として作曲しているのです。

このように、最終目標（ドイツ語の用語で**フィナールカラクター Finalcharakter**）に向けて主題展開を行っていくことを、「**目的論的作曲**」といいます。交響曲が単なる管弦楽曲と違うのは、まさにこの点にあります。交響曲は目的論であり、だからこそ「**論理的（ロジカル）**」だといわれるわけですね。

チェコ、ドイツ、アメリカのトライアングル

そして、このような目的論的な作曲法は、ベートーヴェン（1770-1827）以来、まさに**ドイツの交響曲の伝統**だったのです。

ドヴォルザークは、**アメリカで見聞きした音楽の影響は受けたかも**しれないけれど、作曲的な視点から見ればドイツの伝統的な交響曲の理念に基づいているし、民族的な要素としては**チェコ的**です。この三つの要素を統合したトライアングルの上に成り立っているのが、この交響曲といえるでしょう。

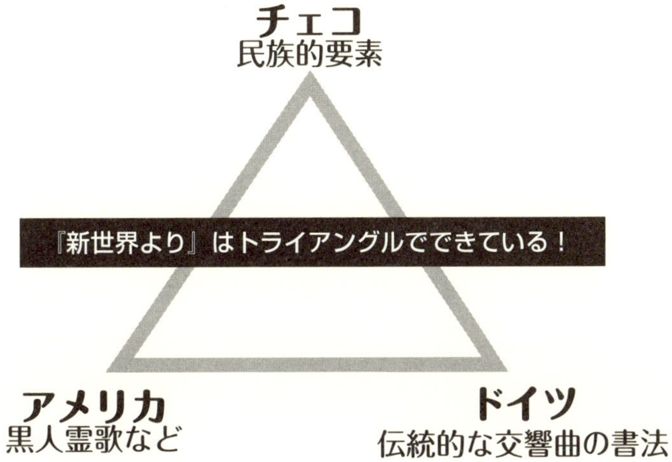

チェコ
民族的要素

『新世界より』はトライアングルでできている！

アメリカ
黒人霊歌など

ドイツ
伝統的な交響曲の書法

レクチャー17

オペラ《魔笛》(前編)
モーツァルト作曲

聴き取るポイント
- 舞台演出の違いを見る
- オーケストレーションの妙
- 調の変化と登場人物の心の変化
- 声を生かすオーケストレーション
- 歌詞の内容に応じた和声法

「見ると聴こえる」「見れば聴こえてくる」。

この本では、音楽は耳で聴くだけでなく、楽譜や演奏の様子を目でも見ましょう、と言い続けてきました。まさにオペラこそ、目で鑑賞しましょう。舞台ものの場合は、**演出によってまったく違った印象の作品になります**。

モーツァルト（1756-1791）の《魔笛》（1791）も、舞台設定が現代のものや、ナチスが台頭していた時代のもの、モーツァルトの時代のもの、ほとんど小道具を使わない抽象的な演出、近未来的なマルチメディアな演出など、さまざまです。

音楽の素晴らしさあってこその《魔笛》

この物語は、王子タミーノが森の中で大蛇に襲われて気絶する場面から始まります。「えっ、弱っ！」とツッコミたくなりますね。こんなに弱い王子が、夜の女王の娘を助けにいくわけです。

他方、夜の女王は、娘が捕らわれているザラストロの城で『夜の女王のアリア』を歌います。「えっ、娘の捕らわれている部屋に入れるなら、自分で娘を助ければいいじゃない！」みたいな、ツッコミどころが満載の童話的な物語なのです。

それどころか、悪役と善役が途中で入れ替わって、「えっ、裏切り？」みたいな……。

つまり、台本としては破綻した大衆的な娯楽作品なのですが、それがさほど気にならないのは**モーツァルトの音楽が素晴らしいから**ですね。このオペラの魅力は、まさに音楽なのです。

今「オペラ」と述べましたが、《魔笛》は正確にはオペラではありません。**ジングシュピール、歌芝居**です。オペラは音楽の中で物語が進み、セリフさえ歌で表現されますが、ジングシュピールは**歌の合間に音楽なしの芝居の部分**も展開されるのです。このような通常のオペラとの違いも、ぜひ映像で確認してほしいと思います（p.94からの「オペラこぼれ話」も参照）。

考え抜かれた オーケストレーション

《魔笛》の音楽は、誰もがよく知っている名曲ばかりがそろっています。ここでは、名曲の背景にあるモーツァルトのオーケストレーションに着目してみましょう。

第1幕の『パパゲーノのアリア』（No. 2）は、鳥刺し（鳥を捕まえて売る仕事）のパパゲーノが歌います。彼が使う小道具**（パンフルートの音）**までオーケストレーションしてあるうえに（譜例1）、伴奏にホルンが出てきます（譜例2）。**ホルンは「狩り」を象徴**する楽器ですよね。こんな細かいところまで考えられたオーケストレーションなのです。

タミーノが歌うアリア『なんと美しい絵姿』（No. 3）は、夜の女王の娘パミーナに恋をする歌ですが、「なんと神のような御姿！」と歌うところで最高音に達し、タミーノの高揚する感情が音楽で表現されています。恋に落ちるところは変ホ長調 Es: からヘ長調 F: へと調が変わり、**登場人物の心の動きに変化があったことを示しています**（譜例3）。

譜例1　遠くから笛の音（パンフルート）

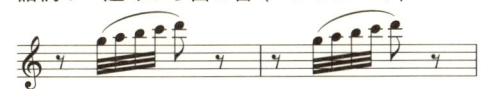

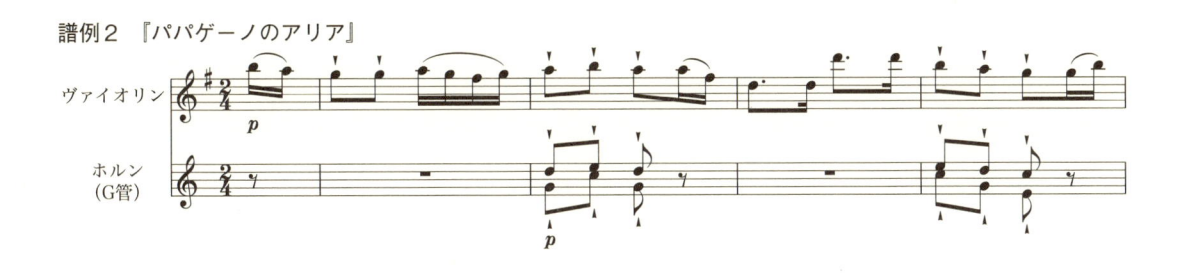

譜例2　『パパゲーノのアリア』

譜例3　「この感情は愛ではないのか？」

歌詞が生きるように、音楽で工夫

　『夜の女王のアリア』(No.14)はいわゆる復讐のアリアですが、この曲は**ニ短調 d:** で、同年に書かれ、絶筆となった《レクイエム》K.626 もニ短調。つまり**死のイメージ**なのですね。弦楽器の細かいトレモロの刻みが、心穏やかではない感じを醸し出します。強弱の変化も大きいので、感情の起伏の激しさも感じさせます。

　『夜の女王』は、**コロラトゥーラ・ソプラノ**という超高音域を得意とするソプラノ歌手が歌います。玉を転がすような、本来はかわいい声質のソプラノが、夜の女王の邪悪な感じを出さなければなりません。相反する条件なので、非常に表現力が要求されるわけです。

　しかも、高音域ばかりで細かく動く旋律なので声のコントロールが難しく、高度なテクニックが必要です。『夜の女王のアリア』には、**技術と表現力の両方の難しさ**があります。

　モーツァルトは、この高い声を際立たせるオーケストレーションを施しています（譜例4）。伴奏部分では低音楽器を全部はずし、フルートなどの高音楽器だけを使っています。ピアノでいえば、鍵盤の右側半分の高い音域だけを使っているような感じです。**歌の高音域を魅力的にするために考えられたオーケストレーション**だといえます。

　このアリアの最後に出てくる減七和音（第87小節）にもご注目（譜例5）。減七和音は、当時、予備なしで使える一番の不協和音でした。「ザラストロを亡き者にするわ！」という決めゼリフのところで、この和音が劇的に鳴ります。「聞け！　復讐よ！」のところでは、2種類の減七和音が続きます。

　声が生きるように、また歌詞が生きるように、**作曲上さまざまな工夫**をしているわけですね。

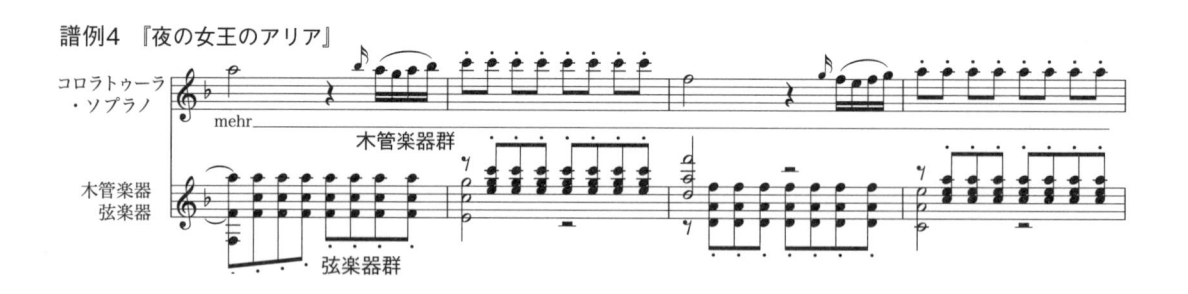

譜例4　『夜の女王のアリア』

譜例5　減七和音の連続

レクチャー 18

オペラ《魔笛》(後編)
モーツァルト作曲

聴き取るポイント
・序曲のフーガ形式
・指定されている楽器の謎
・楽器の社会史的な意味

鈴の音は、何の楽器で演奏？

レクチャー17に引き続き、モーツァルト（1756-1791）のオペラ（正確には、ジングシュピール）《魔笛》のオーケストレーションに注目していきましょう。レクチャー17で、パパゲーノのアリア『わたしは鳥刺し』に登場する笛をパンフルートが演奏していること、モーツァルトは小道具さえもオーケストレーションに組み込んだ、という話をしました。

パパゲーノにはもう一つ、第2幕に『恋人か女房があれば』（No.20）というアリアがありますが、ここにも特徴的な楽器、魔法の鈴が登場します。この鈴は、楽譜上**「グロッケンシュピール」**と指定されています。どんな楽器でしょうか？

今日なら、グロッケンシュピールとは小型の「鉄琴」のことで、スタンドもパイプもなく、鉄製の板を固いヘッドのばち2本でたたく楽器です。

ところが、モーツァルトのオーケストラ・スコアを見てみると、どう見ても2本のばちでたたける音符の量ではありません（譜例1）。ピアノのような「鍵盤楽器」だったとしか思えません。

では、鍵盤付き鉄琴、すなわちチェレスタだったのでしょうか？　あれ、おかしいぞ。チェレスタは、チャイコフスキー（1840-1893）がバレエ音楽《くるみ割り人形》（1891）の『金平糖の踊り』において、世界で初めて使ったはず。つまり、《魔笛》のちょうど100年後です。

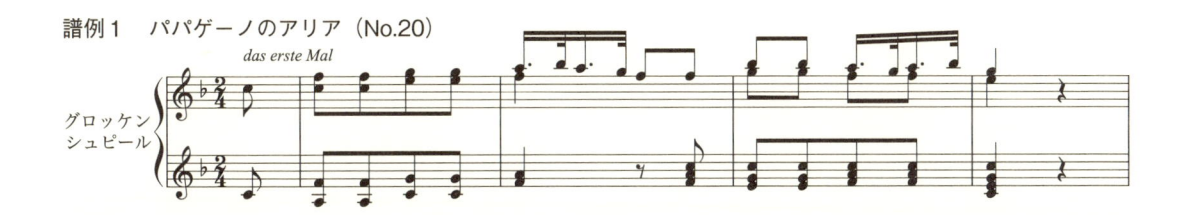

譜例1　パパゲーノのアリア（No.20）

アカデミー賞を多数受賞した映画『アマデウス』(1984) を見てみましょう。健康状態が悪化して倒れそうになりながら、モーツァルトが《魔笛》を指揮する場面が映像化されています。ここでは、鍵盤付きの鉄琴（復元された楽器）をモーツァルトが演奏していますね。

実はチェレスタのほうが、グロッケンシュピールのもともとの形に先祖返りした楽器だったのです（ただし、今日のチェレスタは、ピアノのようなフェルトのハンマーですが）。

いつも言っていることですが、やっぱり音楽の鑑賞授業は、**目で確かめる必要がある**のです。

序曲はフーガ

序曲は、普通はソナタ形式で書かれることが多いのですが、《魔笛》の序曲はちょっと様子が違います。これ、**第1主題がフーガになって**いるのです（譜例2）。オペラの序曲は物語の前説みたいなものですが、モーツァルトは手を抜かず、高度な作曲技法を取り入れた、しっかりしたフーガを書いたのです。

《魔笛》の序曲は、演奏するのも難しい曲です。メロディが追いかけていくようなカノンになっていたり、第2主題が入るところ（第58小節）で第1主題がその伴奏に使われていたりと、かなり綿密に書かれています（譜例3）。モーツァルト渾身の序曲といっていいと思います。

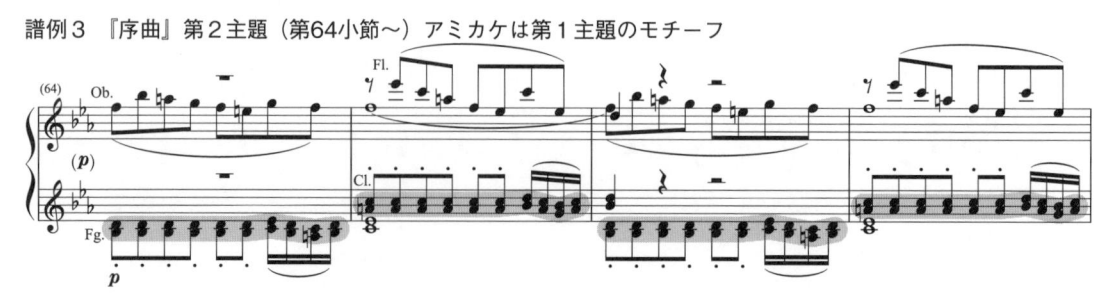

譜例2　『序曲』第1主題（第16小節〜）

譜例3　『序曲』第2主題（第64小節〜）アミカケは第1主題のモチーフ

若い頃モーツァルトは、バッハ（1685-1750）の作品を知りませんでした。当時はバッハの息子たちのほうが有名だったので、息子、とりわけクリスティアン・バッハ（1735-1782）とはロンドンで直接知り合いましたが、父親の大バッハのことは知らなかったのですね。当時はバッハの楽譜は出版されていませんでしたから。

モーツァルトは大人になってから（それもウィーンで）**バッハの音楽の存在を知り、これはすごい音楽だ！と思って、その対位法を勉強したのです。** モーツァルトの**晩年の曲は、バッハの影響が強く出ていて、** 交響曲第38番（『プラハ交響曲』）K.504（1786）あたりからフーガが目立って多くなります。この序曲も、その一例なのです。

トロンボーンは宗教的な楽器

当時の聴衆は、この序曲を聴いただけで、この作品の「ある意味」が伝わったのではないかと思います。それはトロンボーンが使われているからです。つまり、この作品には宗教的な色彩がある、ということです。

トロンボーンという楽器は、**宗教のための神聖な楽器**でした。もともと教会の中で吹く楽器だったので、交響曲、つまり世俗の音楽には長い間トロンボーンは使われなかったのです。ちなみに19世紀になってからベートーヴェンが交響曲第5番『運命』（1807-08）でトロンボーンを使い、交響曲史上初の快挙となりました。

《魔笛》はそれより前の時代の作品（1791）で、劇場という世俗の場でトロンボーンが使われているにもかかわらず非難されなかったのは、**これは宗教色のある作品だ、と聴衆が認識できた**からだと思います。

だから序曲冒頭の数小節を聴いただけで、ザラストロの神殿の場面がすでに予感できるわけですね。それは『神官たちの合唱』（No.18）の場面で、3本のトロンボーンが出てきます。もともと**宗教音楽の合唱は男性のみが歌います**ので、この場面も男声合唱になっているわけです。**楽器や編成には、「社会史的意味」が隠されている**のです。

《魔笛》とフリーメイソン

《魔笛》にはこんな**裏話**もあります。ザラストロの儀式の場面は、**フリーメイソンの儀式にのっとっている**というものです。それをモーツァルトが音楽でばらしたから、モーツァルトは暗殺されたのではないかという説です。

モーツァルトは大親友であったハイドン（1732-1809）に誘われてフリーメイソンに入りました（1784）。フリーメイソンでは**「3」が象徴数**ですが、この作品にも「3」が随所に見られます。たとえば、この曲の変ホ長調 Es: という調は♭が三つ。3人の侍女や3人の童子。沈黙、水、火の三つの試練などです。

このように《魔笛》の背景にフリーメイソンがあったことは容易に想像できます。しかし、フリーメイソンは、自由、平等、博愛を願う人たちの集まりだったので、暗殺説はまさに都市伝説ですね。ナチスがフリーメイソンに濡れ衣を着せた、ともいわれます。**作品解釈にも、時代や政治が影を落としている**のですね。

レクチャー 19

交響組曲《シェエラザード》
リムスキー゠コルサコフ作曲

> **聴き取るポイント**
> ・楽器の音色や特色
> ・曲の構成枠
> ・主題プロセス
> ・文明批評の視点

いろいろな楽器のソロが聴ける

　この作品は、プロ・オーケストラに新しい音楽監督が就任したときや、海外の指揮者が初来日したときなどに、そのお披露目として演奏されることがしばしばあります。それは、この曲には**いろいろな楽器のソロ**があるからです。オーケストラのメンバーを指揮者に紹介できるし、奏者の力量もはかれるというわけですね。

　授業の点からも、ハープ、チェロ、オーボエ、ファゴットなどのソロがあったり、打楽器が活躍したりしますので、**楽器の音色や特色を鑑賞**するのに適した曲といえるでしょう。

　シェエラザード姫はヴァイオリンのソロで表現されます（譜例1）。『千夜一夜物語』（アラビアンナイト）の「語り部」としての役割ですね。

交響組曲とは

　この作品が単なる組曲ではなく**交響組曲**となっている理由は、**交響曲の要素を含んでいる**からです。どこが交響曲的なのでしょう？

　まず、この曲は**四つの楽章**でできています。第1楽章の「海とシンドバッドの船」は**ソナタ形式的**な楽章であり、第2楽章の「カランダール王子の物語」は**スケルツォ楽章**です。第3楽章の「若い王子と王女」は**緩徐楽章**。第4楽章の「バグダッドの祭り、海、青銅の騎士の立つ岩での難破、終曲」は**フィナーレ**。このように交響曲を意識した大きな枠組みになっていることに注目してください。

　ちなみに、交響組曲は**交響詩とは違います**。交響詩は「多楽章の性

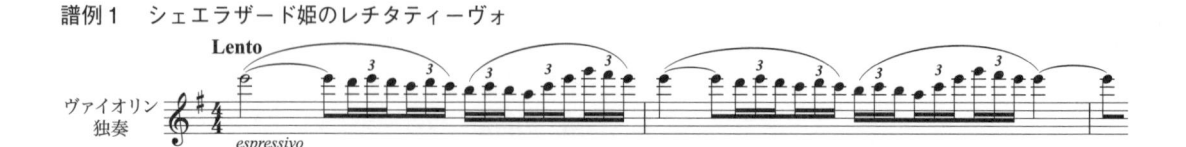

譜例1　シェエラザード姫のレチタティーヴォ

ヴァイオリン独奏

質をもった**単一楽章の楽曲**」ですが、交響組曲はそれぞれ個別に独立した楽曲が集まった結果としての**多楽章**だからです。でも、楽章配置の**枠組みが交響曲**なのです。

シェエラザードによって静められた暴君

交響組曲は、《展覧会の絵》のような組曲とも違うのでしょうか？ 答えは「違う」です。なぜなら、「交響的（シンフォニック）」と銘打つためには、ベートーヴェン以降の交響曲の特徴としての**動機関連**がなければならないからです。つまり第1楽章のメロディが展開技法によって形を変え、他の楽章にも出てくるのです。だからこそアナリーゼが必要なのですね。

第1楽章の冒頭の**シャーリーアール王の主題**（譜例2）は、他の楽章にも出てきます。第1楽章ではテンポも速く、トロンボーンの演奏も吠えるように激しく、暴力的で邪悪な感じですが、第4楽章（譜例3）では穏やかなテンポになって、音も静かになり、破壊的な気持ちが消え失せています。

第4楽章では低弦だけが静かに鳴り、そこにヴァイオリン独奏（シェエラザード）が響きます。シャーリーアール王の荒々しかった気持ちがシェエラザードによってなだめられ、改心するわけですね。

この作品構成の中心にある、シャーリーアール王の主題とシェエラザードの主題が、最後にどうなるか？ 最初の主題は、その後どう変化していくか。これを**主題プロセス**といいますが、主題が最後に向けて（フィナールカラクター*といいましたね）変化していくところが交響曲的な本質に他なりません。鑑賞授業では、この主題プロセスをよく聴き取れるように導いてください。

譜例2　第1楽章冒頭（シャーリーアール王の主題）

譜例3　第4楽章コーダ（第645小節～）

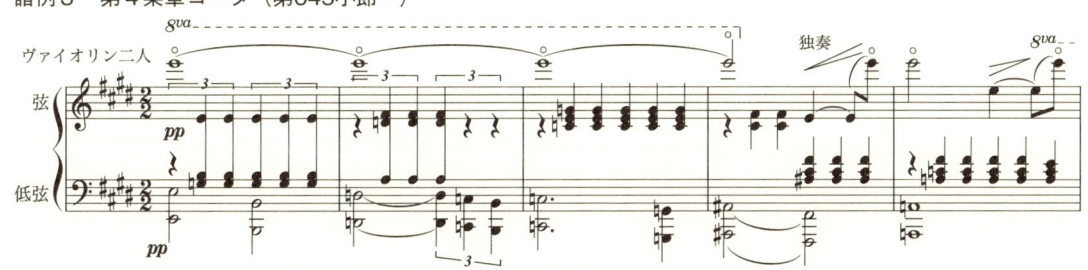

物語とは関連性がない

9世紀のアッバース朝で成立した『千夜一夜物語』(アラビアンナイト)は、女性不信に陥っている凶暴なシャーリーアール王が、次々と自分の妻を殺していき、最後にシェエラザードがみずから志願してやってくるという物語です。

シェエラザードは毎晩、枕元で王におもしろい話を聞かせます。たった一夜でもおもしろくなかったら殺される！という命がけの状況で話が進んでいくのです。だから、その緊迫感が次の話への興味をかき立てる、というウマい構成になっています。

リムスキー＝コルサコフは、この**物語の枠組み**を参考にしたのだと思います。つまり、シェエラザードが王に語る、という構造的な枠組みを使っただけで、**物語を題材にしたわけではない**のです。

リムスキー＝コルサコフ自身も「何らかの物語について描写したものではなく、あくまでも聴者にイメージを与えるための標題である」と言っていますので、鑑賞のときに**「この物語のあらすじを理解しながら」「物語をイメージしながら……」**というのは、まったく誤った聴き方なのです。

そもそも「シンドバッド航海記」も「アラジンと魔法のランプ」も「アリババと40人の盗賊」も、もともとは『千夜一夜物語』に入ってなかったのです。えっ？と思うでしょう。加えたのは、フランス人の東洋学者、アントワーヌ・ガラン(1646-1715)です。彼が18世紀に『千夜一夜物語』をフランス語に翻訳してヨーロッパに紹介したとき、現存したのは282話のみ。数が足りないのはオカシイと考えて、別の話も加えて1001話にしたという経緯があるのです。しかも原本の『千夜一夜物語』は童話どころか、濃厚な官能小説だったようです。

鑑賞に必要な「文明批評」

物語をイメージして鑑賞する、などという愚行よりもはるかに重要なことが鑑賞授業には求められると思います。それは、**文明批評の視点**です。

だって、不思議じゃありませんか？　リムスキー＝コルサコフはロシア5人組の一人であり、ロシア正教（キリスト教）だったのに、なぜ**イスラム教の題材**を取り上げようとしたのでしょうか。

そこには、近代ヨーロッパにおける「オリエンタリズム」という差別構造が横たわっているようです。文明評論家のエドワード・サイード(1935-2003)はその視点を批判しました。すなわち、『千夜一夜物語』の流行には、イスラム世界を西洋とは異なるエキゾチックな世界として見ることで、中東に対するヨーロッパの優越感や、帝国主義の正当化の思惑が透けて見えるのです。

音楽鑑賞がただCDを聴かせて感想文を書かせるのではダメだということが、この一例からもわかりますね。

＊ p.53-55　レクチャー16　交響曲第9番『新世界より』ホ短調（後編）参照

レクチャー 20

バレエ音楽『春の祭典』
ストラヴィンスキー作曲

聴き取るポイント
- メロディに依存しない新しい音楽観
- 変拍子や複調
- 楽器と奏者
- 指揮者の振り方
- 振付師による舞台の違い

頭がおかしくなった？と思われた曲

『春の祭典』(1913) は、『火の鳥』『ペトルーシュカ』と並ぶストラヴィンスキー (1882-1971) の「三大バレエ音楽」の一つですね。セルゲイ・ディアギレフ (1872-1929) が主宰するロシア・バレエ団 (バレエ・リュス) のために書かれた曲で、初演指揮者のピエール・モントゥー (1875-1964) が「とうとうストラヴィンスキーは頭がおかしくなった」と言ったくらい斬新な曲でした。

21世紀を迎えたとき、世界各国の音楽誌がこぞって「20世紀の代表作品は何か？」というアンケートを行いましたが、どの国でもダントツ1位だったのが『春の祭典』です。それは、この作品が今までの音楽観を壊した、**現代音楽の原点**といえるような作品だったからでしょう。

今までの音楽の常識をぶっ壊す

西洋クラシック音楽は、グレゴリオ聖歌以来、バッハ (1685-1750)、モーツァルト (1756-1791)、ベートーヴェン (1770-1827) を経て、**メロディを中心に発展**してきました。しかし、この曲はどうでしょう。「春のきざし」(第1部第2曲、譜例1) の部分を聴いてみると、あれっ？メロディはどこ？って感じですね。あるのは**リズム**と**一つの和音**だけ。メロディがないのです！ いわば、主人公不在で、**音楽の脇役だけでできている**。これがきわめて画期的だったのです。

譜例1 「春のきざし」(『春の祭典』第1部 昼「大地礼賛」より)

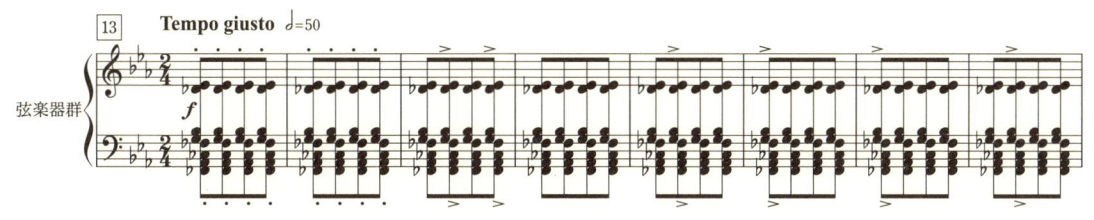

ⓒ 1912, 1921, Hawkes & Son (London) Ltd.
Reprinted by permission of Boosey & Hawkes Music Publishers Ltd.

譜例2　第1部　序奏

譜例3　第2部「乙女たちの神秘的な集い」（複調性）

⇒上段はh-moll ｝複調性
⇒下段はH-dur

譜例4　第2部「いけにえの踊り」

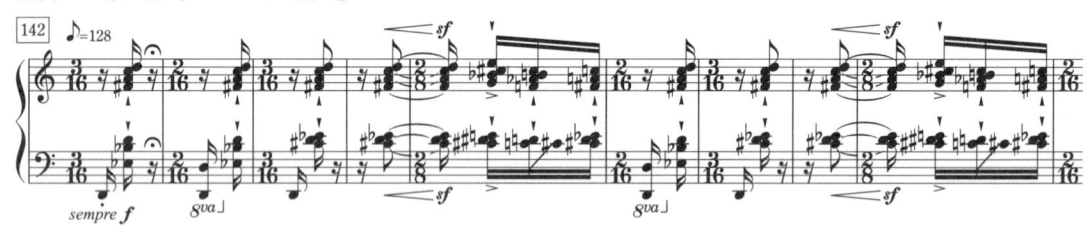

　たとえば、「序奏」（第1部第1曲）冒頭のファゴットの独奏も（譜例2）、これってメロディなの？というような、**旋律断片**です。**数少ない音（原音列）の長さを延ばしたり縮めたり**しているだけです。

　「複調」もこの曲の特徴の一つですね。違った調の和音を一緒に鳴らし、音がぶつかっているところが随所に見られます（譜例3）。従来の**調性感を崩壊**させているのです。

　「いけにえの踊り」（第2部第6曲、譜例4）にいたっては、**変拍子の嵐**です。もはや、規則的な拍子感さえ破壊しているのです。ここにもやはり旋律断片は出てきますが、ほとんどリズム優先です。バレエ音楽は、踊れなければいけないわけですが、特にこの部分は細かく拍が変わっていくので、初演のときダンサーはこの複雑な拍子感やリズム感を体にたたき込まなければならず、大変苦労したようです。リハーサルを200回やったという話が残っているほどです。

難曲中の難曲!?

　譜例2のファゴットも非常に高い音域を吹きますが、これもストラヴィンスキーがわざと苦しそうな音色をねらったものです。男の人が無理をしてソプラノの音域を歌うようなものですね。

　このようにメロディも壊し、拍子も壊し、調性も壊し、ストラヴィンスキーはいろいろなものをぶっ壊したわけですね。今から100年以上も前の人たちの耳はその頃、ブラームス（1833-1897）やドヴォルザー

ク（1841-1904）などを聴き慣れた耳だったわけですから、『春の祭典』はありえない音楽だったに違いありません。

そのようなわけで、20世紀半ば頃まで、演奏するのが最も難しい曲ともいわれていました。「ハルサイ」（『春の祭典』の愛称）を暗譜で振れてこそ一流、と指揮者たちも競っていたものです。今となっては、一般大学のアマチュア・オーケストラでも演奏できる時代になり、隔世の感がありますね。

今までの音楽との違いは、**指揮をしてみる**とよくわかると思います。リズムの感覚、拍子の感覚などを、生徒と一緒に**体感してみましょう**。変拍子のところも、ぜひ挑戦してみてください。

『春の祭典』はクラシックだけでなく、ポップスなどの音楽にも影響を与えています。体や魂（ソウル）に直接訴えかける音楽、まさに**ロックの起源**となったのです。その意味でも、20世紀の音楽すべてに影響を与えた作品といえますね。

舞台を観にいこう！

『春の祭典』はバレエ音楽ですから、やはり**実際のバレエの舞台を観にいく**ことが大事ですね。初演の振付師はヴァーツラフ・ニジンスキー（1890-1950）ですが、通常のバレエではありえないような振り付けをして、初演は大スキャンダルとなりました。

バレエ作品は**振付師によってまったく違った作品**になります。完成度が高く、世界から賞賛されたモーリス・ベジャール（1927-2007）の幾何学的群舞やピナ・バウシュ（1940-2009）の演劇的振り付けは有名ですね。名前は伏せますが、なんと日本の忠臣蔵をテーマにした、前代未聞の振り付けなどもあります。バレエ音楽『春の祭典』の鑑賞は、踊っているところを実際の舞台やDVDなどの**映像で観る**ことをおすすめします。

この作品は、日本語では『春の祭典』と訳されていますが、ロシア語の本来の意味では「聖なる春」「神聖な春」といったニュアンスです。古代のロシアを舞台とした原始宗教、つまり、いけにえを捧げることで春を迎える、そのための宗教儀式を題材にしています。

したがって、この作品には特に物語はありません。「ストーリーを想像しながら」という聴き方ではなく、耳と目を使って作品を味わってみてください。

レクチャー 21

オペラ《カルメン》より『ハバネラ』
ビゼー作曲

聴き取るポイント
- フランス語のオペラ
- メッゾ・ソプラノの魅力
- リズムとメロディ・ライン
- オーケストレーションの効果
- 他の作曲家の受容

初演は大失敗

ビゼー（1838-1875）のオペラ《カルメン》（1875）の特徴の一つは、**フランス語のオペラ**ということですね。フランスの伝統的なオペラの形式には、**グランドペラ** Grand opera（グランド・オペラ）があり、大編成のオーケストラにバレエが付き、5幕構成となっているのが伝統的な形です。バレエの代わりに**舞踏会**などの華やかな踊りのシーンが入っているのが、その特徴ですね。

これとほぼ同時期に、イタリアで流行っていたのが**ヴェリズモ・オペラ**です。英語でいえば**リアリズム**。つまり、これまでのオペラに多くあったおとぎ話や神話のようなストーリーではなく、どちらかというと現実的な話をオペラにしたものです。つまり、等身大の登場人物が出てきて、芝居の部分が多いのです（p.94〜「オペラこぼれ話」参照）。

これら両方の特徴をもっているのが、《カルメン》です。物語の舞台はスペインのセビリア。主人公カルメンは悪女で、現実にいそうですね。**初演は大失敗**だったのですが、その理由は、タバコ工場で働くカルメンが次々に男をたぶらかすという不道徳な題材だったことと、音楽が付かない芝居の部分が多すぎたこと、などだったようです。

半音階でできている『ハバネラ』

主人公のカルメンが歌うアリアが、『ハバネラ』です。普通オペラでは、ソプラノとテノールが主役になることが多いのですが、《カルメン》では珍しく**メッゾ・ソプラノが主役**です。深みのある声の太さが、いかにも**悪女感を表す**といった感じですね。

ハバネラとはもともと南米地域の民俗舞踊ですが、ビゼーはスペインの踊りと思い込んでしまったのです。勘違いから生まれた名曲ともいえますね。

では、伴奏部分に着目してみましょう（譜例1）。一貫してずっと同じリズムが続きます。曲の間中ずっと主音の「レ」の音が鳴り続けています。いわゆる**主音の保続**ですね。これが続くことによって**しつこい感じ、執拗な感じ**が出ています。

同じリズムと音型が続く中で、唯一動いているのがメロディです。**メロディは基本的に半音階の下行形**でできています。それも主音の「レ」

譜例1　『ハバネラ』ニ短調部分より（第12小節〜）半音階下行

から「レ」まで下りてくる形が繰り返されます。この曲を実際に歌うときは、下のレから上のレへ**グリッサンドで声をずり上げる**ようにして歌いますので（譜例中の *portamento*）、それがまた悪女感を醸し出します。

この曲はニ短調 d: ですが、カルメンの歌から**合唱**に移るところで**ニ長調 D: に転調**します。長調になったところで、カルメンは陶酔したように愛を歌います。この部分は**上行形のメロディ**になりますね。カルメンの気持ちとメロディがうまく合っていると思います。

長調から再び短調になり、また長調になり、というふうに何度か繰り返し、**ABAB という形式**になっています。伴奏の fis の音が f へと半音下がるだけで、雰囲気はガラリと変わりますね。

心の声の「用心して！」

カルメンが陶酔しながら愛を歌っていると、そこに合唱が割って入ってきます。群衆が「用心して！ prends garde à toi」という言葉を挟むわけですが、これは**人々の心の声**ですね（譜例2）。心の中で思っていることを、実際に口に出して歌にするという**オペラのお約束**です。カルメンは男を手玉に取るような女だから気をつけなさい、ということを、カルメンに翻弄されているドン・ホセやその周りの男たちに向けて警告しているわけです。

この部分のオーケストレーションに着目してみましょう。ハバネラの**冒頭部分**（譜例1）は、弦楽器は全部**ピッツィカート**になっていて、弓で弾いているのは**チェロだけ**なんですね。ずっと静かなオーケストレーションになっていて、カルメンの歌とハバネラのリズムだけが聞こえてくるようになっています。

それが「用心して！」のところでいきなり *f* になります（譜例2）。ここだけはトランペットやホルンなどの**金管楽器**が使われます。それまでは群衆の歌声やその他の楽器は全部ささやくような *pp* の音量でしたが、「用心して！」のところだけは**人々の心の声が大きく響く**ように工夫されているのです。

他の音楽作品での「意味内容」の引用

ちなみに「用心して！」の部分には、こんな話もあります。ソヴィエト連邦の作曲家、**ショスタコーヴィチ**（1906-1975）が「血の粛清」の危機のさなかにあったとき、自分の作品の中にこの部分を引用したので

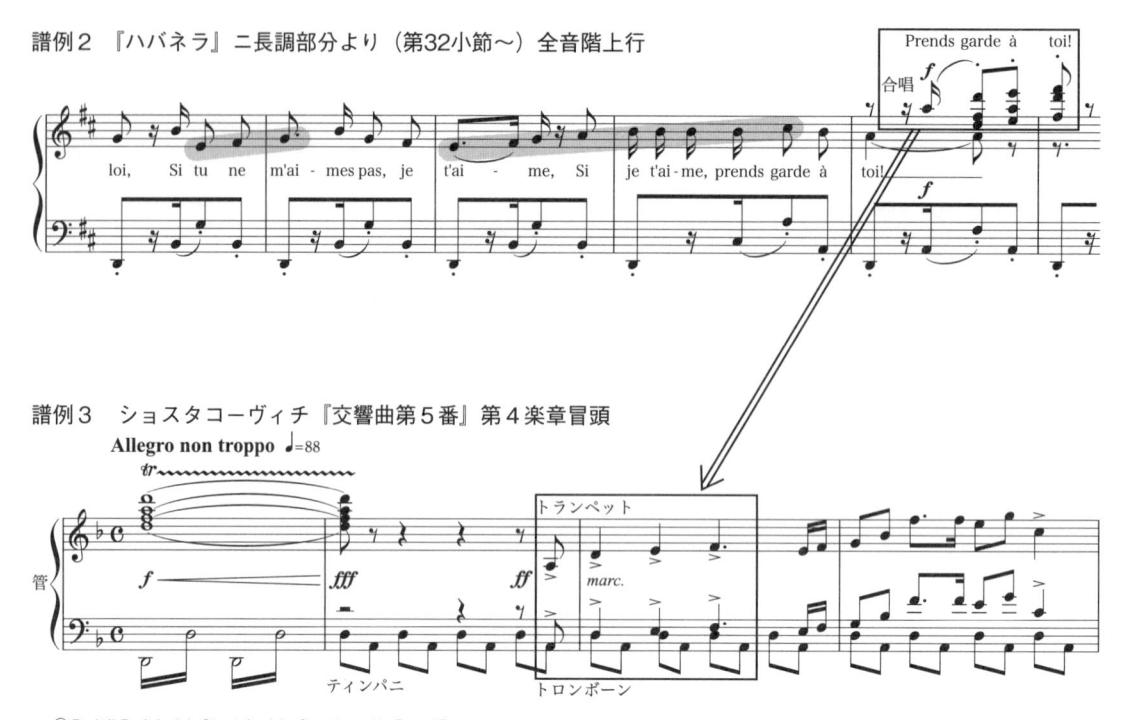

譜例2 『ハバネラ』ニ長調部分より（第32小節〜）全音階上行

譜例3 ショスタコーヴィチ『交響曲第5番』第4楽章冒頭

© Dmitrij Dmitrievich Shostakovich: Symphony No.5 op.47
Copyright by Zen-On Music Company Ltd. for Japan

は？という説です。彼の『交響曲第5番』の最終楽章にこの部分ときわめてよく似たメロディが出てくるのです（譜例3）。

　ショスタコーヴィチの『交響曲第5番』は、ロシア革命20周年という記念すべき年に初演され、人々からは「革命を賛美」する曲ととらえられました。しかし実は**裏の意味**があって、ショスタコーヴィチはこの曲の中に、**スターリンには用心しろ！**という意味を込めたのではないか。それを《カルメン》の群衆の声を引用することで暗に表したのではないかという説です（p.84-93「西洋音楽史こぼれ話」参照）。

　このように、音楽作品は時代を経て、**他の音楽作品に「意味内容をもって」受容**されていくのです。ベートーヴェンの「ジャジャジャジャーン」のリズムが、「運命の象徴」として他の作曲家たちに受け継がれていったのも同様のケースですね。

　なお、オペラ《カルメン》の音楽はどれも有名な曲ばかりです。『ハバネラ』に限らず、たとえば序曲などもぜひ聴いてみましょう。序曲はたった2分ほどの短い曲ですが、闘牛士のメロディなども出てくるダイジェスト版のような曲です。

　また、第2幕冒頭の『ジプシーの歌』（2本のフルートが大活躍）や『アルカラの竜騎兵』、カルメンがホセを誘惑する『セギディーリャ』、各幕の間奏曲など、聴きなじみのある曲にあふれています。

　上演DVDなども、ぜひ鑑賞してみてください。

レクチャー22

交響曲『第9番』(前編・第4楽章)
ベートーヴェン作曲

聴き取るポイント
・交響曲における歌の扱い
・作曲家の意図（歌詞の解釈）
・転調と曲の構成

交響曲に歌？

あらゆる音楽作品の中でも最も尊い扱いを受け、平和の象徴のような曲になっているのが、ベートーヴェン(1770-1827)の最後の交響曲『第9番』(1824)です。「喜びの歌」が歌われる、第4楽章から見ていくことにしましょう。

日本では年末の風物詩として、『第九』演奏はすでに半世紀を超える伝統となっていますが、「歓喜の歌」はEUの国歌扱いにもなっていますし、数か国の国歌にもなっています。

1989年11月9日にベルリンの壁が崩壊して、まさかまさかで東西ドイツが統一することになったとき、その記念に演奏されたのも交響曲『第9番』でした。そのときの演奏は、バーンスタイン指揮による東西両ドイツの演奏家にアメリカなど西側の奏者と旧ソ連（ロシア）の演奏者で演奏した、ライブDVDなどでも確かめることができます。

このように、欧米では『第九』は特別な意味をもった作品なのです。

ところが、ベートーヴェン自身は『第9番』をあまり評価していなかったようです。いや、むしろ失敗作と思っていたふしがあるんですね。その理由はずばり、「歌」です。本来、**交響曲に歌が入るのは反則**なのです。だから、ベートーヴェンもそれを変だと思っていて、どうにか第4楽章だけが浮かないように、工夫した痕跡が見られます。

それが、**レチタティーヴォ**による言い訳です。この交響曲で初めて人の声が発せられる箇所、すなわち合唱が歌い始める前に、バリトン独唱で「おお友よ！　このような調べではなく、喜びに満ちた調べを……」と歌いますが、これこそが**言い訳**です。

この部分はシラーの詩ではなく、ベートーヴェン自身の作詞によるものです。つまり、今までの楽章はなかったことにして、喜びに満ちた歌（＝歓喜の歌）を歌いましょう！とそれとなく誘導してから、「歓喜の歌」に入っていくわけです。

言い訳が必要だった

バリトンが入る前にも**周到な準備**をしています。オーケストラ作品であるにもかかわらず、なんと**ブラスバンド**による激しい序奏があって、第1楽章のメロディの回想があり、これは違う！　第2楽章の回想があり、これも違う！　第3楽章の回想があり、これも違う！と全部**チェロ・バス（低弦）**の

レチタティーヴォで否定していくわけですね。

　それからやっと「歓喜のメロディ」の一部が顔をのぞかせ、「これだ！」とばかりにチェロとコントラバスが弱音でワン・コーラス聴かせます。徐々に加わる楽器が増えてゆき、オーケストラ全員で歓喜のメロディを演奏して、それからやっと「歌」を導入するのです。

　こんなに長い準備をし、やっと人間の声で「喜びの歌」が歌い始められるのは、なんと第４楽章（全940小節）の25％にもあたる236小節になってから！　時間にして約1/3の7分もかけて、**作曲の構想変更の「言い訳」**を音楽でつづったのでした。

取り換えられた「第４楽章」

　これだけ長い言い訳が必要だったということは、ベートーヴェン自身が交響曲（＝器楽曲）に歌を入れることに対して、つじつまが合わないと感じていたからでしょうね。

　というのも、ベートーヴェンにはもともと第４楽章の別の構想があったのです。それを「歓喜の歌」による楽章に置き換えてしまったため、まるで接ぎ木のようになってしまったのです。ちなみに、もともとの第４楽章の音楽はリサイクルされて、**『弦楽四重奏曲第15番』**（イ短調、作品132）**の第５楽章**に使われました。

　『第九』の第１楽章から第３楽章までは、間違いなくベートーヴェンの最高傑作です。ですからこのまま第４楽章まで器楽曲のままいけば、想像を絶するような、もう一つのベートーヴェンの精神世界が広がったかもしれません（弦楽四重奏曲はそれをほうふつとさせます）。

　でも、『第九』が世界中でこれだけ広まったのは、疑いなく「歓喜の歌」のおかげでしょう。だから、「『第九』は最高傑作」とほめられると、ベートーヴェンも面はゆい気持ちになっているかもしれません。

　弦楽四重奏曲の第５楽章も、ぜひ聴いてみてくださいね。もしかしたら、これが『第九』の最終楽章だったかもしれないと思うと、不思議な気分になりますから。

自由・平等・博愛の精神

　合唱部分の詩はシラーが書いたものですから、その原文の意味を知る必要はもちろんあります。しかし重要なのは、シラーの詩をベートーヴェンがどう解釈して、どう再構成したか。つまり、どのようなメッセージを伝えるためにシラーの詩を使ったか、ということではないでしょうか。

　以下に、『第九』の構成と、使われたシラーの歌詞を「**表**」にしてみました。

　この「**表**」からまずわかるのは、ベートーヴェンは「詩の全編に音楽をつける」という1792年以来の構想（あるいは野心）を放棄していることです。

　次に「表」からわかるのは、ベートーヴェンがシラーの詩を解体・再構成していることです。「**表**」に見るように、対訳番号で①→③→⑤→⑧→①→②→⑥→{①②同時}→⑥→①→②→①となっています。

　この曲を歌ったことのある人なら実感があると思いますが、第１節の歌詞（①と②）は何回も出てくるので、とても覚えやすいです。つまり、第４楽章全体を通じて、ほとんど「第１節」ばかりが歌われるのです。

第4楽章の構成とシラーの詩の「解体と再編」

主題A＝喜び主題、主題B＝口づけ主題
※ 対訳番号を中心にご覧ください。対訳は次頁以降の表をご参照ください。

区分	小節数	テンポ	主題	対訳番号	第1節 2468 1012	第2節 2468 1012	第3節 2468 1012	第4節 2468 1012	第5節	第6節	第7節	第8節
器楽序奏	1-91	Presto「恐怖のファンファーレ」／低弦のレチタティーヴォ／第1〜3楽章回想										
	92-207	Allegro assai オーケストラによる「喜び主題」と四つの変奏	A									
第1部	208-236	Presto「恐怖のファンファーレ」／バリトンのレチタティーヴォ										
	237-268	Allegro assai「喜び主題」	A	①	□□□□バリトン ■■合唱							
	268-296		A	③		□□□□独唱 ■■合唱						
	297-330			⑤			□□□□独唱 ■■合唱					
第2部	331-431	Allegro assai vivace Alla Marcia トルコ行進曲		⑧				テノール□□ 男声合唱■				
	432-542	器楽フーガ										
	543-594	「喜び主題」の変奏	A	①	■■■■合唱							
第3部	595-626	Andante maestoso「口づけ主題」	B	②	合唱■■							
	627-654	Adagio ma non troppo,ma divoto		⑥			合唱■■					
第4部	655-729	Allegro energico,sempre ben marcato（二重フーガ）	AB同時進行	①②	■■合唱 合唱■							
	730-762			⑥			合唱■■					
第5部	763-842	Allegro ma non tanto／PocoAdagio／Tempo 1／Poco Adagio	(B)(A)	①	□□□□独唱 ■■合唱							
	843-940	Prestissimo／Maestoso／Prestissimo	B A	②①	合唱■■ ■合唱							

　この楽章を「ソナタ形式」と見た場合にも、「第1節」の優位は疑いありません。さあ、ここからが**アナリーゼの本領発揮**です！
　頻繁に繰り返されるのはフロイデ（喜び）という言葉で、この**「喜びの歌」**を展開していくことで曲が作られています。これが他ならぬ、第1主題（表中の主題A、次頁譜例1）です。
　「抱き合おう。全世界のために口づけを」という詩句も繰り返されています。この**「口づけ主題」**が、第2主題（表中の主題B、次頁譜例2）です。
　これらの歌詞が、実は第1節だけからなっているのです。シラーは各節を、8行＋唱和部4行の、12行ずつで詩を構成していますが、第1節の第1〜8行（＝対訳①、次頁表）までが**「喜びの歌」**、唱和部である同第9〜12節（＝対訳②、次頁表）が**「口づけ主題」**なのです。したがってアナリーゼの結果、『第九』は詩的・思想的にも、音楽的にも、疑いなく**「第1節」**

譜例1 「喜び主題」

譜例2 「口づけ主題」

　　に中心理念があると考えられます。
　私の考えでは、ベートーヴェンは「エリュシオン」（エリジウム）つまり「理想郷」を、「自由・平等・博愛」（つまりフランス革命の精神）が実現された世界、と解釈したのではないかと思います。フロイデは女性名詞ですから、それを叶える「あなたの力」とは自由を象徴するような「女神」のことではないでしょうか。

　身分社会ではなく、「自由」こそが重要なのだ、というフランス革命的な精神にもつながる歌だからこそ、いくつもの国歌にも使われているのでしょう。

　ちなみに、第1節中の **Himmlische** はしばしば誤訳されています（なぜか教科書検定でもスルーされています）。そもそもコンマで挟まれているので、呼びかけですね。語尾が女性形なので、超初級文法からいっても、中性名詞の「聖殿」にかけることは絶対にできません（ましてや「天国であるおまえの聖殿に入る」などという訳は、ねつ造に近いです）。

　文法的に「女性」であるニュアンスを出すとすれば、**天なる女性**、つまり「**天使**」と訳してもよいのではないでしょうか。しかも、「おまえのやさしい片翼が、しばしとどまるとき」というのですから、Himmlische はますます翼をもった「天使」だと考えられないでしょうか。

　「娘」はエリュシオン（楽園）におり、「天使」は聖殿にいます。しかも、**娘と天使は同じメロディ**です！　ベートーヴェンは、音楽ではっきりと「歓喜」＝「娘」＝「天使」と作曲しており、「自由・平等・博愛」の実現した

対訳番号	シラーの改訂版原詩（ドイツ語）	日本語訳（訳：野本由紀夫）	詩の理念
	第1節		
①	Freude, schöner Götterfunken,　Tochter aus Elysium,　Wir betreten feuertrunken,　Himmlische, dein Heiligtum!　Deine Zauber binden wieder,　was die Mode streng geteilt;　Alle Menschen werden Brüder,　wo dein sanfter Flügel weilt.	歓喜よ、神々の美しい閃光よ、　楽園（エリュシオン）の娘よ、　われらは火に酔いしれて、　天使よ、おまえの聖殿に足を踏み入れよう！　この世の慣わしが厳格に分け隔てていたものを、　おまえの神秘的な力がふたたび結びつける。　すべての人々が、みな兄弟となる。　おまえのやさしい片翼が、しばしとどまるとき。	「歓喜」の力＝人類愛
②	Seid umschlungen, Millionen!　Diesen Kuß der ganzen Welt!　Brüder! überm Sternenzelt　muß ein lieber Vater wohnen.	抱き合おう、いく百万の人々よ！　この口づけを世界じゅうに！　兄弟よ！　星空の天幕のかなたに　愛する父（神）は必ずや、おられるのだ。	神への信仰

社会＝「楽園」＝「聖殿」と示唆していたのです。

	第2節		
③	Wem der große Wurf gelungen, 　eines Freundes Freund zu sein, Wer ein holdes Weib errungen, 　mische seinen Jubel ein! Ja, wer auch nur eine Seele 　sein nennt auf dem Erdenrund! Und wer's nie gekonnt, der stehle 　weinend sich aus diesem Bund.	ひとりの友の、友となる、 　偉大な業をなしとげた者、 優美な妻をかちえた者は、 　ともに歓呼の声に加わるがよい！ そうだ、たったひとり（ひとつの魂）であっても 　それをこの世で自分のものと呼べる者は！ しかし、それがまったくできなかった者は、 　この輪から泣きながら立ち去れ。	「歓喜」は真に自分のものといえる人をかちえたとき
④	（省略）	（省略）	

第2節に関しては、実は、ベートーヴェンはここの「優美な妻をかちえた者は、ともに歓呼の声に加わるがよい！」の歌詞を、1語だけ変えてすでに使っています。それは、**オペラ《フィデリオ》**（初稿1805）の最終場です。ここは悪が滅び、全員が解放されて「自由」となった場面で、勇敢な妻レオノーレ（＝フィデリオ）をほめ称えるところです。このオペラそのものがきわめてフランス革命的な色彩を帯びていることは、有名です。また、**「自由」をもたらすのが**キリストや神ではなく、**レオノーレ＝「女性」**であることも忘れてはならないでしょう。

	第3節		
⑤	Freude trinken alle Wesen an den Brüsten der Natur; Alle Guten, alle Bösen folgen ihrer Rosenspur. Küsse gab sie uns und Reben, einen Freund, geprüft im Tod; Wollust ward dem Wurm gegeben, und der Cherub steht vor Gott.	生きとし生けるものは、みな 　自然の乳房から歓喜を飲む。 善なる者も、悪なる者も、みな 　その薔薇の残り香を追っていく。 歓喜はわれらに口づけとブドウ酒を与え、 　死の試練を経たひとりの友も授けた。 狂喜は虫けらにも与えられた。 　そして智天使（ケルブ）は神の前に立つ。	「歓喜」のもとでは、あらゆるものが平等
⑥	Ihr stürzt nieder, Millionen? Ahnest du den Schöpfer, Welt? Such' ihn überm Sternenzelt! Über Sternen muß er wohnen.	いく百万の人々よ、ひざまずくのか？ 世界よ、創造主を感じるか？ 星空の天幕のかなたに、創造主を求めよ！ 星のかなたに、創造主は必ずや、おられるのだ。	神への信仰

第3節に関して重要なのは、**「智天使（ケルブ）は神の前に立つ」**の部分です。ベートーヴェンはここの「Cherub」という単語に、独唱群では「***f***」を、合唱群ではわざわざ「***sf***」を付けて、ことのほか強調しているのです！

私は「智天使ケルブ」＝「エリュシオンの娘」（つまりは「歓喜」）になぞらえているのではないかと推察しています。

智天使ケルブは、九つある階級のうち、セラフィムに続く第2階級にある天使です。旧約聖書の『創世記』によれば、アダムとイヴが楽園を追放されたとき、神は「エデンの園の東にケルビムと、回る炎の剣とを置いて、生命の樹の道を守らせた」とあります。

ここにもあるように、ケルビムと炎、雲は切っても切れない関係にあります。預言者エリヤを昇天させた「火の馬に引かれる火の戦車」もケルビムだと考えられますし、イエスが昇天したときにもケルビムの雲に包まれて天界へと旅立ちました。その点でも、「ケルビム＝炎」と、第1節（＝①）の「神々の美しい閃光」や「火に酔いしれて」を強く連想させはしないでしょうか。

音楽的にはどうでしょう？　またまた**アナリーゼのしどころ**ですね。

旧約聖書によれば、ケルビムは天使とはいっても、**聖なるものの番人**で

あり、神の玉座の守り手なのです。契約の聖櫃アークのふたにもケルビムをかたどった像が2体添えられていたように、聖なるものの守護天使なのです。

　ベートーヴェンの『第九』でも、智天使ケルブは神の前に立ち（steht vor Gott）、「*f*」で力強く歌われ、**容易に楽園には立ち入らせない**かのようです。そして神の存在の大きさを音楽で表すかのように、「神Gott」には「*ff*」が4回も付けられ、フル・オーケストラの巨大な音の塊となってそびえ立ちます（しばしばティンパニだけがディミヌエンドするのが不思議がられてきたフェルマータの箇所）。

　アナリーゼ上も重要ポイントですが、この箇所でベートーヴェンはニ長調 D:（または属調のイ長調 A:）から変ロ長調 B: に、なんの手続きもなくいきなり転調させているのです。これは**遠隔調への転調**です。音楽理論的に説明すると、本来は D: → d:（同主短調）→ F:（その平行調）→ B:（その下属調）、または D: → G:（下属調）→ g:（その同主短調）→ B:（その平行調）という手順を踏まなければならないはずなのに、ショートカットしているのです。

　ベートーヴェンの大胆な転調については次のレクチャーでもふれますが、「自由・平等・博愛」の**理想社会にはそう簡単にはいけない**、ニ長調のまま正面突破はできず、（音楽理論上も）**遠回りしていくしかない**んだ、ということを音楽的に表現したのではないでしょうか。

	第4節		
⑦	（省略）	（省略）	
⑧	Froh, wie seine Sonnen fliegen, 　durch des Himmels prächt'gen Plan, Laufet, Brüder, eure Bahn, freudig, wie ein Held zum Siegen.	（蒼穹の）太陽たちが天空の壮麗な平原を 　飛びまわるように、喜ばしく。 駆けよ、兄弟、おまえたちの道を。 英雄が勝利に進むように、喜々として。	「歓喜」が宇宙の歯車

　第4節の作曲では、楽器に注目してみると、第4楽章にしか出てこない管楽器はピッコロとコントラファゴットです。高音と低音を強化したのでしょう。打楽器はシンバルと大太鼓とトライアングル。これらは**トルコ軍楽隊の楽器**で、シンバルはサイズが小さいトルコ・シンバルです。この当時は軍隊にトルコ式のやり方を導入して統率を図るのが流行していました。したがって、楽譜に「行進曲風に」（第331小節）と書いてあるのは、「トルコ行進曲風に」という意味です。

　その後、第4楽章は、再び第1節（=①②）を中心に展開していきます。シラー自身は暴力をともなったフランス革命には懐疑的な姿勢をとっていたそうですが、ベートーヴェンはシラーの詩を「人間の自由・平等・博愛」を歌うものとして、永遠の命を与えました。

　ベートーヴェンは1818年から常に会話帳を使い始めるので、『第九』作曲の頃にはほとんど耳が聞こえていません。この交響曲の1音符たりとも、自分の耳で聴いていないのです。その意味でも、『第九』は人類史上、とてつもない天才が生んだ記念碑的な作品、**文化遺産**といえるでしょう。実際、『第九』の自筆譜は世界記憶遺産に認定されました。『第九』を歌い継いでいくことは、**人類の使命**といってもよいのではないかと思います。

レクチャー23
交響曲『第9番』(後編・その他の楽章)
ベートーヴェン作曲

聴き取るポイント
・主題の長さ（第1楽章）
・大胆な転調（第1楽章）
・ティンパニの新しい調律法（第2楽章）
・アダージョ楽章のテンポの違い（第3楽章）

主題が長ーい

今回は『第九』（1824）の中でも、ベートーヴェン（1770-1827）本来の力が発揮されている、第1楽章から第3楽章までを見ていきます。交響曲『第9番』の中でも**一番手が込んでいるのが、第1楽章**です。とても精巧にできたソナタ形式の曲ですね。

第1楽章の特徴の一つは、**主題が長い**ということ。第1主題が19小節（第17～35小節）もあるのは、ベートーヴェンでは異例です（譜例1）。もともとベートーヴェンは少ない音楽素材で作曲するタイプの人ですから（『運命』は5小節）、この曲では創作の別のステージに入ったような感じですね。

主題が長くなるとその分使える材料が増えるので、展開部も手が込んだものとなり、長くなります。そうすれば当然、曲全体も大規模なものになります。言うまでもなく、多くの素材を組み合わせていくわけですから、高度な作曲テクニックが必要です。細かく編み込まれた編細工のように、楽曲構造も複雑になるのです。『第九』は、ベートーヴェンの**集大成的な作品**といえますね。

大胆な転調

第1楽章は**ソナタ形式**ですが、いわゆる**定番とは少し違います**。第1主題から第2主題にいくとき、通常は平行調か属調に転調しますね（『運命』はハ短調 c: から平行調の変ホ長調 Es: へ）。ところが『第九』はニ短調 d: から変ロ長調 B: への転調ですから、**やや遠いところに転調**

譜例1　第1楽章の第1主題

第1ヴァイオリン

譜例2　第1楽章の第2主題（第80小節〜）

しています（譜例2）。

レクチャー22でもふれたように、音楽理論的にいうなら、d:（主調）→ g:（下属調）→ B:（その平行調）、または d:（主調）→ F:（平行調）→ B:（その下属調）という手続きを経なければたどりつけない調です。ところが、ベートーヴェンは「（ファー）ラード－ミ♭－ソ♭」という、B-dur の属九和音（減七和音）一つで転調させています。

ところでニ短調 d: と変ロ長調 B: の主音は、**長3度の関係**になっています（**メディアント関係**といいます）。このメディアント転調というのは、この時代には**新しい調性関係**だったので、ベートーヴェンは最先端のことをやっていたわけですね。同じ時代だと、**シューベルト**（1797-1828）の曲もそういう傾向があり、ロマン派の先駆けとなりました。

音楽をただ聴いているだけだとわからないのですが、このように楽譜を見てみると、実に**多くの挑戦**に気づきます。そして多くのモチーフが複雑に絡み合い、そのすべてが**意図してつくられている**ことがわかるはずです。

ティンパニの新しい調律法

第2楽章は、楽器に注目してみましょう。**ティンパニ**は普通、主音と属音に調律しますが、この曲はどうでしょう。主音でも属音でもない、ニ短調 d: の**第3音（F）に合わせ、しかもオクターヴで調律**しています（譜例3）。これは信じがたい調律ですね。

オクターヴの調律は、実はベートーヴェンが**交響曲『第8番』（1812）の最終楽章で初めて挑戦**し、そこで実験しているのです。このときはヘ長調 F: の主音（F）のオクターヴなので、まだわかるのですが、この曲はニ短調 d: なのに F です。しかもティンパニだけをソロで露骨に聴かせ、「どうだ！」というように。実はこれ、あとでヘ長調 F: に転調することも計算に入れているのです。

第2楽章はスケルツォ楽章ですが、この曲はスケルツォの形式にソナタ形式をかけ合わせています。しかも第1主題も第2主題も、追いかけっこをするような**フーガ**になっていて、大変凝ったつくりになっていることにも注目です。

中間部は、第4楽章の歓喜のメロディを予告しています。第4楽章

譜例3　第2楽章

でも活躍するトロンボーンが初めて登場するのは、この第2楽章ですね。

アダージョ楽章のテンポの違い

第3楽章は、ベートーヴェンが約20年ぶりに書いたアダージョの曲です。交響曲では『第4番』(1806) 以来となります。この楽章は、非常にロマンチックな音楽になっています。

ところで、アダージョとはどのくらいのテンポなのでしょう。ゆっくりしたテンポにはレントやラルゴなどもありますが、アダージョは**「ゆっくり」という意味ではなく、「1音1音に感情を込めて」**という意味合いから、その結果としてゆっくりになるといったニュアンスです。

第3楽章は、ぜひ**聴き比べ**をしてみてください。たとえば、レナード・バーンスタイン (1918-1990) の晩年の演奏と、古楽器オケの演奏を比べると、テンポの違いに唖然とします。バーンスタインの演奏は失速寸前の非常にゆっくりしたテンポ。＊古楽器オケでの演奏は、サクサク流れるテンポです。

では、ベートーヴェンはどうするつもりだったのか？　楽譜には「**テンポ60**」とあります。これは、今日のメトロノームだと**ラルゲットとかアンダンテぐらいの速さ**なので、決して遅くはないのです。

このテンポ問題には、ベートーヴェンのメトロノームが壊れていた説、耳が悪かったからテンポがわからなかった説など、いろいろな説がありますが、**弦楽器のスラーを作曲者が書いたとおりに弾こうとすると、テンポ60でないとうまく弾けない**のです。

ということは、バーンスタインの演奏は遅すぎ。少なくともベートーヴェンが考えていたテンポは古楽器オケの演奏に近いということですね。**現代の演奏は感情を込めすぎて、作曲家の考えたのとは違う音楽になっているのかも**、という話ですね。

＊ 1989年の「ベルリンの壁崩壊記念コンサート」のDVDなど。

レクチャー24

《レクイエム》
フォーレ作曲

聴き取るポイント
・オーケストレーション
・自然的短音階
・Ⅲ度の和音
・調性の変化

型破りなレクイエム

レクイエムは死者のためのミサ曲、**お葬式の音楽**です。つまり宗教儀式の音楽ですね。モーツァルト（1756-1791）、ヴェルディ（1813-1901）、フォーレ（1845-1924）の三大レクイエムが有名ですね。

儀式なのに、フォーレの《レクイエム》（初稿1888／第2稿1893／管弦楽版1900）は、**式典の決まり事を無視し**、かなり**型破りなレクイエム**になっているのが特徴の一つです。

フォーレの《レクイエム》は7曲からできています。
1曲目：イントロイトゥス（入祭唱）とキリエ（あわれみの賛歌）
2曲目：オッフェルトリウム（奉献唱）
3曲目：サンクトゥス（感謝の賛歌）
4曲目：ピエ・イエズ（慈悲深いイエス）
5曲目：アニュス・デイ（平和の賛歌）
6曲目：リベラ・メ（私を解き放してください）
7曲目：イン・パラディスム（楽園へ）

あえてこの7曲にしているところが、すでに型破りです。たとえば、《レクイエム》の中では作曲家が一番熱を入れて作曲することの多い『ディエス・イレ』（怒りの日）の扱い方が、フォーレでは異例なのです。

『**ディエス・イレ**』は「**最後の審判**」に対する恐怖を表し、モーツァルトも激しい曲になっていますし、ヴェルディはかなり劇的な音楽になっていて、「ヴェルレク（ヴェルディの《レクイエム》の愛称）といえば、ここ！」というほど中核をなす音楽になっています。あまりに劇的すぎて、「死者も目を覚ます」なんて言われるほどですね（笑）。

でも、フォーレは『ディエス・イレ』を独立した曲にはせず、申し訳程度にちょっと挿入するだけ。それどころか、これを含む（普通なら長大な）セクエンツィア（続唱）部分も**つくりませんでした**。

代わりに、本来は《レクイエム》には入っていない『リベラ・メ』（私を解き放してください）と『イン・パラディスム』（楽園へ）を入れました。

あえてそうしているところに、フォーレの意図があるように思われます。つまり、**死の恐怖を描くのではなく、死によって救われる**、苦痛からも解放される、永遠の命を得る、天国に行けることが素晴らしい。

そういう作品にしたかったのではないかということです。亡くなった人に向けた曲ではなく、**残された人に向けた曲**という感じがしますね。

ヴィオラが中心のオーケストラ

オーケストレーションの特徴は、**ヴァイオリンがほとんど出てこない**ことです。全体的に中低音の弦楽器が中心なので、**渋みがあり、内面的で親密な感じ**がします。

オーボエさえもいません。金管楽器が活躍するのもごくわずかです。第6曲『リベラ・メ』の中に、挟み込まれた形で登場する『ディエス・イレ』（わずか17小節のみ）の部分で、「最後の審判のラッパ」のように鳴る、ホルンのファンファーレが唯一の活躍場所といえるでしょう。

最初から最後まで、**響きの中心になっているのはヴィオラ**なのです。ヴィオラ中心のオーケストラ編成はとても珍しいですね。フォーレが非常に**くすんだ響き**を求めていたことがわかります。

実は、フォーレの《レクイエム》の楽譜には第3版まであり、普段耳にするのはフルオーケストラ編成による**第3版（1900）**だと思います。出版社から、もともとなかったヴァイオリン群を入れるようにいわれて、通常のオーケストラ編成にしたといわれています。というのも、**第2稿、いわゆるオリジナル版（1893）**では、ヴァイオリンは独奏一人が入っているだけだったからです。

ところが、このフルオーケストラ版は本当に作曲家自身の手によるものか、疑問視されているのです。今日の研究*では、おそらくオーケストレーションはフォーレの弟子のジャン・ロジェ＝デュカス（1873-1954、《魔法使いの弟子》の作曲者ポール・デュカス[1865-1935]とは別人）によるものではないか、と推測されています。

たしかに、第2稿とオケ版は、楽譜を実際に目で比較してみると、耳で聴くよりもはるかに差異が大きいです。管楽器の用法はまるで発想が違いますし、弦楽器の弓使いも根本的に異なっており、オケ版はむりやり誰かがヴァイオリン群を付け加えた「アレンジ版」だと気づくのです。

その意味でも、**鑑賞授業ではぜひフォーレ本来の姿（第2稿）のCDで聴く**ことをおすすめします（ジョン・エリオット・ガーディナー[1943-]指揮の、オリジナル稿のCDが手に入りやすいです）。

素朴で、中世的な感じがするのは？

フォーレの和声の特徴は、自然的短音階をよく使っていること。第1曲『キリエ』の旋律を聴いてみると、音階の7番目の音（ド）に♯がついていない、自然的短音階になっていますね（譜例1）。**素朴で、中世的な感じ**がします。**近代和声とは少し違った雰囲気**ですね。

譜例1 《レクイエム》より『キリエ』

dolce espressivo

d: I　I¹　I　Ⅲ　Ⅲ¹　V¹　I　I¹　I　Ⅲ　Ⅲ¹　V¹

譜例2　Ⅲの和音
　　　　（ⅠともⅤとも共通音がある）

悲しみから喜びへ

　それからⅢ度の和音をよく使っていること（ニ短調 d: ならファ・ラ・ド）。Ⅲ度和音はⅠ（トニック）とⅤ（ドミナント）の両方の性格を持ち合わせ（譜例2）、そのために古典・近代和声法ではあまり使わない和音なのですが、フォーレはこれが好きなんですね。響きは穏やかで素朴です。

　第4曲『ピエ・イエズ』は、本来はセクエンツィアの最後の部分に出てきますが、フォーレは独立した曲にしました。

　『ピエ・イエズ』はソプラノのソロが特徴的です。念頭に置かれたのは**ボーイ・ソプラノ**ですね（ミシェル・コルボ［1934-］指揮のCDで聴くことができます）。実際には子どもが歌うのは難しく、大人が歌うことが多いのですが、少年が歌うと声量も少なく、汚れ（けが）のない透明な声が大聖堂に響き、まさに**天使の歌声**のイメージといった感じです。この曲にもⅢ度和音が出てきます。なんとも穏やかな気持ちになりますね。

　第5曲『アニュス・デイ』はテノールと合唱の応唱という形になっています。ヘ長調 F: で始まり、曲の後半に1曲目の『イントロイトゥス』（ニ短調 d:）が挟み込まれ、また『アニュス・デイ』に戻って、最後はニ長調 D: で終わります。

　長調で終わるところに、フォーレの思いが感じられます。《レクイエム》といったらニ短調 d: ですね。**ドリア旋法**に最も近いから、ともいわれています。ちなみにモーツァルトの《レクイエム》もニ短調 d: です。

　フォーレの《レクイエム》も出だしはニ短調 d: ですが、最後はニ長調 D: で終わります。悲しみから**喜びに変わって終わる**のがフォーレです。

　第6曲『リベラ・メ』の特徴はバリトンがソロで歌うことと、途中で『ディエス・イレ』が挟み込まれることですね。合唱もバリトンのメロディを歌い、最後は再びバリトンのソロで終わります。とはいえ、この第6曲自体は、すでに1877年頃に作曲してあったものを流用したものです。

　第7曲『イン・パラディスム』はニ長調 D: の曲です。最後は**祝祭色のある曲**で終わります。ニ長調は、バッハなら《クリスマス・オラトリオ》や《マニフィカート》、ベートーヴェンなら『第九』などでもおなじみのように、祝祭や喜びを表すときに使われてきた調です。

　フォーレの『イン・パラディスム』では、全体的に高い音域が使われ、明るい感じがします。主音の「レ」の音が、楽曲中タイでずっと延びています。伴奏のリズムも一定で、それが**永遠の命を表している**かのようです。伴奏のスタッカートもきらきらと輝き、天国の光を思わせますね。

　アナリーゼしてみると、フォーレが**「苦しみというよりも、むしろ永遠の至福と喜びに満ちた解放感」**（作曲者の言葉）を作品全体のコンセプトとしたことが、このようにちゃんと裏付けられるのです。

＊フォーレ研究家のジャン＝ミシェル・ネクトゥー（1946-）がロジェ・ドラージュ（指揮者）と共同で校訂した楽譜が、ミニチュア・スコアで簡単に手に入ります。

音楽こぼれ話

その1 西洋音楽史こぼれ話～生徒が飽きない音楽史の授業

丶・丶・丶・丶・丶・丶・丶

「これって、学習指導要領で求めている鑑賞の『言語化』の実施例ですよね！」。

感激したようにおっしゃるのは、中学校や高校の音楽の授業で**NHKのテレビ番組『名曲探偵アマデウス』**（2008年～2011年放送、p.89~93参照）を生徒たちに実際に見せている、という先生方です。

この番組は、「名曲は、なぜ名曲なのか」をキャッチフレーズに、作曲家の生涯や音楽史、場合によっては世界史的な背景にまでふれながら、作品に込められた作曲家の思いやメッセージを、もっぱら「音楽理論」や「音楽分析（アナリーゼ）」、「楽器法」の観点から「楽譜」も使いながら読み解いていきます。

視聴対象は音楽ファンどころか、楽譜など無縁のまったくの一般人であるにもかかわらず、かれこれ3年放送されました。

私はこの番組の監修者を務め、番組制作に深く関与していました。解説者としてもほぼ毎週出演していましたが、ありがたいことに大人からはもちろん、意外に小学生たちからも「よく番組を見ています」とお声をかけていただきました。

いきなり結論から申しましょう。中学・高校の授業で「西洋音楽史」をどう取り入れたらよいかわからない先生、鑑賞授業で何をどう教えたらよいかお困りの先生、説明していると生徒が退屈してしまう先生──みなさん、『名曲探偵アマデウス』をぜひご覧ください。あるいは、NHKにぜひ再放送をご要望ください（p.89のwebサイト）。

これ、番宣ではないのです。

それどころか、この番組は、**学習指導要領の総括目標**にある「芸術文化についての理解を深め、豊かな情操を養う」とか、「生涯にわたり芸術を愛好する心情を育てる」ことを、具体的に示していなかったでしょうか？

ちなみに、私は後続番組でもあるEテレの『ららら♪クラシック』でも監修を務めていますが、『名曲探偵アマデウス』と重なる曲の場合、同じネタが使われることも多いのは、ご存じのとおりです。また、楽曲のアナリーゼや説明の仕方についても、『ららら』のスタジオ収録前にレクチャーしています。

『名曲探偵』は、授業のヒントどころか、答えの一つをご提供してさえいたのです。『名曲探アマデウス』がなぜ人気を得て成功したのか。それを考えてみると、「生徒が飽きない西洋音楽史」どころか、「成功す

る学習指導要領」の実施方法が見つかりそうです。

音楽史は楽しい

『アマデウス』をご覧になったことがない方もいらっしゃるでしょうから、まずは自己紹介を兼ねて、「音楽史」と私のかかわりについて述べておきましょう。

私は、高校と大学で「音楽史」または「西洋音楽史」の授業をもつようになって、かれこれ20年以上になります。卒業生からも「音楽史のノートだけは今でもとってあります」との声を少なからずいただきます。

私が思うに、「音楽史」を退屈に感じさせてしまうのは、教える側の**「方針」（＝理念）**と**「具体的なやり方」（＝方法）**があまりふさわしくないからではないでしょうか。その「方針」がどうあるべきで、「具体的なやり方」もどうするとよいかは後述したいと思いますが、いくらでも「音楽史」を楽しいと感じさせ、生徒たちの食い付きをよくすることは可能なのです。いや、可能なのではなく、現実に楽しいのです。

音楽史は勉強ではなく「生きている」実感

もちろん、義務教育の中学校や一般の高校の授業では、音楽史だけの時間をとって腰を据えて学習するのではなく、表現活動、鑑賞活動などの中に歴史的な要素を織り交ぜてふれていくことが多いでしょう。

むしろ、そのほうが音楽史の楽しさを伝えるには好都合です。というのも、学習指導要領の目指す方向が、まさにそのようなものだと考えられるからです。

えてして音楽史は、バロック時代だの古典派だの、作曲スタイルの変化を記述した**「様式史」**として習われてきた先生方が多いと思います。そうすると、音楽史は「知識」の詰め込みになりがちです。

しかし、学校教育において音楽史は、**「勉強」**であってはならないと思います。逆に、音楽史の**豆知識やこぼれ話**だけでもダメだと思うのです。

音楽は、世界史や日本史と無関係ではいられません。なぜなら、音楽はその時代に実際に生きていた人たちの「生活」の中から生まれたものだからです。音楽史は、音楽を切り口にした**「人間の生きた歴史」**なのです。音楽史を取り扱うなら、生徒たちがまさに**現在を「生きている」**と実感できたり、改めて認識できたりする必要があると考えます。これが、私の言う**授業の「方針」（＝理念）**です。

具体例をいくつか挙げてみましょう。

歴史は過去ではなく「いま」＝「生きる力」

■『交響曲第5番』ショスタコーヴィチ作曲

高校1年・2年の教科書にも出ている鑑賞教材です。『名曲探偵』では#048として放送し、大変大きな反響がありました。

鑑賞の「言語化」の実例については、番組を書籍化した『名曲探偵ア

マデウス（CD付き）』（ナツメ社）があるので（p.100参照）、ここでは事細かには述べません。重要なのは、鑑賞して生徒たちにただ「カッコイイ」とか、「悲しそう」といった音の印象を言葉で語らせるだけで終わらせてはならない、ということです。

　別の番組で、ピアニストで指揮者のウラディーミル・アシュケナージ（1937-）もこう語っていました。「**この交響曲やショスタコーヴィチを語るには、当時のソヴィエトという社会、時代背景にふれなければ、作品の本質をつかんだことにならない**」。

　この曲が生まれたのは（1937）、ショスタコーヴィチ（1906-1975）が共産党の機関紙で自作のオペラを批判され、「血の粛清」の恐怖におののいていたときです。**社会主義リアリズム**という時代・社会の要請、**スターリンという暴君**のことにふれずに、この作品の本質は絶対に語れません。

　ショスタコーヴィチは、いつ暗殺されるかわからない、恐怖の日々を過ごしていました。秘密警察（KGB）の尾行にもピリピリしていたといいます。身辺整理さえしていました。彼はまさに「生きる」ために、表向き社会主義の賛美、裏ではスターリン批判という、「**二枚舌の表現**」でこの交響曲を必死に書き上げたのです（p.70『ハバネラ』参照）。

「言語化」を最後にまとめるのは「音楽史」

　『名曲探偵アマデウス』で立ち入ったのは、ここまででした（それでも大反響だったのですが）。しかし、学校の音楽の授業なら、この事例は今の日本における「**表現の自由**」がいかにありがたく、人間にとって「自由」がいかに本質的で重要なものであるか、実感させてくれる格好の題材となるはずです。音楽教師は、そこまで踏み込まなければなりません。**歴史は過去ではなく、「いま」**なのです。

　別の言い方をするなら、学習指導要領で求めている「**言語化**」は、「**根拠のある批評**」までで終わってはならず、最後は「**音楽史**」の考察が引き受けるべきなのです。そうしてこそ、学習指導要領の大きな柱、「**生きる力**」に結びつきうるのではないでしょうか？

音楽は「目」とともに

■交響詩《我が祖国》より『ブルタバ』スメタナ作曲

　これは、番組では#039で取り上げ、チェコの風景とともに放送しました。ハープの一音が表す「水の一滴」から川の源流が始まり、やがて波のオーケストレーションが変化していくことなど、学習指導要領でいう「楽器の音色の特徴」を映像的に示し、やはり好評を得ました。

　ちなみに、鑑賞教育で映像を流すことに抵抗感を感じる先生もいらっしゃるようですが、**音楽は「耳」で鑑賞するというのは、歴史を振り返れば簡単にわかる「誤り」**です。音楽はつい最近まで、演奏者を目の前にしてしかありえず、演奏はつねに「目」とともにありました。

　また、楽器の音色についてわかるためにも、そして音楽の表情の変化

について観察するためにも、さらにそれを言語化するためにも、鑑賞は CD ではなく、**演奏者が映った** DVD や Blu-ray を使うほうが圧倒的に学習効果が上がります。

歴史の中においてこその音楽作品

鑑賞教材としては、まず「なぜ『ブルタバ』(1874) のメロディ（主要主題）にグッとくるのか」、**アナリーゼ**すべきでしょう。鑑賞教育の具体例としてよく雑誌やレクチャーで取り上げられているわりに、根本的で肝心なこの問題にふれていないのは、少しばかり不十分に思います。

p.18 の譜例 1 を見ればおわかりのように、このメロディは上行音階と下行音階の「長さ」の違いがわびしさの原因の一つであり、下行音階が「ため息モチーフ」でできていることが、悲哀を感じさせているでしょう（＝音楽分析の言語化）。＊

「ため息モチーフ」自体が、音楽史の知識ですね。バロック以来の「**音楽修辞学（フィグーレンレーレ）**」でおなじみです。モーツァルトの『**交響曲第 40 番**』（第 1 楽章）などを比較例として聴かせてみても、知識がタテ・ヨコにつながるので、大変よいでしょう（譜例）。

でも、この哀愁のメロディが、実は**チェコ民謡（長調）を短調化**したものだということが、ここでは重要なのです（番組では、チェコ人の方に実際に歌っていただきました）。

チェコに生きる人々に、この交響詩の主要主題は一体どのように感じられるのか。そして、この交響詩の最後が長調になり、このメロディがまさに本来のチェコ民謡の姿で登場したとき、それは「**チェコ独立の勝利の予言**」になったはずだ、と生徒にも気づかせることができるのではないでしょうか。

歴史の中においてこそ、楽曲のもつ「意味」がはじめて理解されるのです。『ブルタバ』をめぐるこの話をしてからもう一度曲を聴くと、生徒にも、親にも、感動して涙ぐむ方が少なからずいらっしゃいます。

音楽史の知識や、言語化された音楽史は、鑑賞の感動を妨げるどころか、むしろ感性を磨き、情操を育み、音楽の素晴らしさを実感させるのです。

譜例　モーツァルト『交響曲第 40 番』ト短調 K.550 冒頭

ため息のモチーフの連続

音と音楽は「社会史」とともに

■『幻想交響曲』（ベルリオーズ作曲）とダース・ベイダー

『幻想交響曲』は、番組初期の #011 で取り上げましたし、私自身もオーケストラを指揮して、その歴史的なすごさに感嘆した曲です。

この作品も高校 1・2 年の鑑賞教材として教科書に載っていますが、

私がこの曲を鑑賞させるなら、まずダース・ベイダーの主題（映画『スター・ウォーズ』シリーズの『帝国のマーチ』）をいきなりピアノで弾いて、「この曲、何？」と生徒に投げかけます。

　当然、悪役ヒーロー「ダース・ベイダー」と答えが返ってきたところで、「どうして悪役と感じるのか」「どうしてダース・ベイダーという、個人名・役名とわかるのか」とたたみかけます。

　この質問は、映画音楽やアニメ、ドラマの音楽が、**「ライトモチーフ（示導動機）」**の手法だということを説明するためです。ワーグナー（1813-1883）の発明した「ライトモチーフ」の手法に決定的な影響を与えたのが、ベルリオーズ（1803-1869）の**「固定楽想（イデ・フィクス）」**の手法だったのです。

　つまり、音楽史がけっして単なる過去の「知識」ではなく、**自分たちの生活に不可欠な一部として「生きている」**ことをアピールする必要があるのです。その意味でも、実は楽器の音や協和音・不協和音さえも、それ自体に「力」が備わっているわけではない、ということを忘れてはならないでしょう。

　『名曲探偵アマデウス』では、よく**「音楽理論と心理の相互作用」**に言及するのですが、たとえばトランペットの音が勇ましく感じたり、戦闘的に聞こえたりするのは、楽器の音色自体（つまり属性）にだけ起因しているのではありません。この楽器が王権の象徴として宮廷の中で特別の地位にあった、という社会の中の音楽史、すなわち**「社会史」**が、**無意識的にリスナーの耳の中に「蓄積」**しているのです。

　言い換えれば、楽器の音色のニュアンスや、協和・不協和の感覚というのは、リスナーの「聴衆体験」、大げさにいえば**「人類の聴衆体験の蓄積」**のうえに成り立っているのです。**個人的な体験の蓄積のことを「学習」、集団的な蓄積のことを「歴史」**というわけです。

　「いま」は「過去」の積み重ねのうえにあります。これを忘れると、音楽教師が「何でそう感じられないのか！」とピントはずれに怒りだしたり、生徒を「わからんやつ」扱いしたりすることになってしまいます。まったくトンデモ教師ですね。

　こうならないためにも、音楽史を授業に挟み込むことは、きわめて重要だということがわかると思います。

　私の授業は全面的に一般公開していますし、音楽教育の研究会や公開講座、教員研修や教育フォーラムなどでもこの種のレクチャーは頻繁に行っています。ご興味のある方は、ぜひご参加ください。

＊野本由紀夫「鑑賞授業をクリエイトするために──交響詩《ブルタバ》の誤解を解く」、『音楽教育実践ジャーナル』第12巻2号（2015年3月）、特集「授業をクリエイトする──音楽の本質をめざして」、p.20-31。
加藤穂高「《ブルタバ》の鑑賞を通して何を伝えるか、何を学ばせるか──専門的解釈からのアプローチ」、同 p.32-42。

NHK『クラシックミステリー 名曲探偵アマデウス』放送内容一覧

ドラマ部分のレギュラー出演：
天出臼夫（あまでうすお）：筧 利夫（探偵事務所「アマデウス」所長）
響 カノン（ひびき カノン）：黒川芽以（#001以降、探偵事務所「アマデウス」助手）

野本に関していえば、出演は#004からで、監修作業は#009から。正式に監修者としてエンド・ロールに明記されるようになったのは#015からで、#021ではオーケストラ指揮者としても出演。
＊毎回、作曲家の伝記的事実は必ず取り上げられている。
　視聴または再放送をご希望の方は、http://www.nhk.or.jp/e-tele/onegai/about「お願い！編集長」まで。

回数	作曲者名	曲名	音楽鑑賞の理論的根拠／音楽上のトピック（抜粋）＊
#000	ベートーヴェン	交響曲第7番	「舞踏の神化」／リズムの秘密／楽曲構成／ロックとの意外な類似点
#001	ラヴェル	ボレロ	実は超難曲／超絶的ソロの連続と奏者の心理／転調の妙技
#002	ブラームス	交響曲第4番	「ためいき」動機／伝統と革新／3度動機
#003	バッハ	ゴルトベルク変奏曲	変奏技法と原理／「3」に支配された構成法／音楽宇宙論と脳科学
#004	チャイコフスキー	交響曲第6番『悲愴』	ファゴットの魅力／属九和音と形式／知られざる声部交差
#005	シューベルト	弦楽四重奏曲 ニ短調『死と乙女』	属九和音の意外性／転調の妙技／歌曲原曲／変奏曲の意図
#006	ドビュッシー	前奏曲集	和声的革新／タイトルと音楽／全音音階
#007	モーツァルト	ピアノ協奏曲第20番	シンコペーション／例外的な協奏曲／属九和音の効果／旋律法
#008	シベリウス	交響詩『フィンランディア』	言語に左右される音楽的発想／拍節法とリズム／動機法と形式構成
#009	ベートーヴェン	ピアノ・ソナタ『月光』	ナポリの和音／同主調／アタッカの効果／循環主題／ベートーヴェンの強弱法
#010	シューマン	こどもの情景	ロマン派の音楽修辞学／変化するアウフタクト／ドイツ文学者ジャン・パウルの美学／借用和音の効果
#011	ベルリオーズ	幻想交響曲	標題交響曲／「イデ・フィクス」／空間的オーケストレーションの妙技
#012	ラフマニノフ	ピアノ協奏曲第2番	精神分析医学／波のような楽曲構成法／ピアニズムの分析
#013	ドヴォルザーク	交響曲第9番『新世界より』	ヨナ抜き音階と郷愁／ベルグソン学派的な休符の効果／全楽章の主題の対位法的集約
#014	ショパン	24の前奏曲	旋律法と和声法／『雨だれ』の異名同音的転調／『雨だれ』のいきなりの中断の意味／なぜ「前奏曲」なのか？
#015	ガーシュイン	ラプソディー・イン・ブルー	「ブルー・ノート」／ジャズとの融合／インプロビゼーション（即興演奏）
#016	ムソルグスキー	展覧会の絵（ラヴェル編曲）	ロシア民族主義（ヨナ抜き音階と拍節法）／画家との友情／編曲者ラヴェル／「プロムナード」の意味／標題の意味
#017	リスト	パガニーニ大練習曲『ラ・カンパネラ』	三つの稿の聴き比べ／リストの人生の転換（演奏家から作曲家へ）／as と gis 異名同音と心理効果／演奏テクニックの解析
#018	ラヴェル	亡き王女のためのパヴァーヌ（ピアノ原曲）	アポジャットゥーラ／アチャッカトゥーラ／「亡き王女」はだれなのか？
#019	サティ	3つのジムノペディ	教会旋法／「引き算」の音楽／和声法／作曲家の伝記的事実／後世への影響
#020	ベートーヴェン	ヴァイオリン・ソナタ第9番『クロイツェル』	半音動機／激しい転調／持続音（保続音）の効果／ソナタ形式の革新／新しい二重奏
#021	チャイコフスキー	くるみ割り人形	バレエ音楽の革新／作曲家の伝記的事実／チェレスタの構造／減七の和音の連続／『花のワルツ』の楽曲構成とその心理
#022	モーツァルト	クラリネット五重奏曲	クラリネットの楽器構造と音楽的特性／クラリネットの歴史／モーツァルトにとってのクラリネット／弦楽器の弱音器の効果
#023	ベートーヴェン	交響曲第9番（合唱付き）	器楽によるレチタティーヴォの作曲上の意味／『第九』の歌詞の内容／「喜びの歌」の歴史的意義／二重フーガの技法／世界史的背景と詩的世界／なぜ「人類の遺産」なのか
#024	（スペシャル）	楽器の王様ピアノの秘密	ピアノの楽器構造／ピアノの歴史／ピアノの楽器法／ピアノとチェンバロの違い／楽器製造者の秘密
#025	マーラー	交響曲第5番	作曲家の伝記的事実／「倚音」と心理効果／Sul G と心理効果／頻繁なテンポ変更と心理効果／ウィーンの世紀末芸術との関係（分離派（セセッション））／フロイトの精神分析
#026	バッハ	無伴奏チェロ組曲	チェロの楽器学的構造／ポリフォニーと独奏／保続音の効果／カザルスの功績／肩掛けチェロ（古楽器）の復元
#027	サン・サーンス	動物の謝肉祭	意外な作曲動機／パロディの原曲／タイトルに込められた意味／グラフィックな譜面（ふづら）／時代背景
#028	ドビュッシー	牧神の午後への前奏曲	なぜ「20世紀音楽の幕開け」をもたらしたといわれるのか／五感に訴える革新的和声法／フルートの楽器学的構造とドビュッシーの意図／牧神とニンフとは何か
#029	R.シュトラウス	交響詩『ティル・オイレンシュピーゲルの愉快ないたずら』	メタモルフォーゼ（主題変容）の技法／「物語る」音楽の職人的技法／ニーチェの哲学とシュトラウス／文化史的背景／楽器法の妙技
#030	シューベルト	さすらい人幻想曲	「ダクチュル」のリズム／単一楽章制における多楽章制／遠隔転調／歌曲原曲
#031	ヴィヴァルディ	ヴァイオリン協奏曲《四季》より『春』『夏』	ソネットと音楽／リトルッロ形式／緩・急・緩の3楽章構成／ソロコンチェルトの確立／古楽器とヴァイオリンの楽器学／即興性と聴き比べ／オペラとコンチェルトと「アフェート」
#032	ショパン	ポロネーズ変イ長調『英雄』	序奏の音楽理論／ポロネーズと民族舞踊／オスティナート音型と演奏上の難所／産業革命とポーランド／迷いの「ド」のアクセント効果
#033	モーツァルト	交響曲第41番『ジュピター』	第1楽章の主題の多様性と対比性／踊れないメヌエット／「ジュピター音型」の対位法／第4楽章における五つのモチーフの同時展開と対位法的クライマックス
#034	サラサーテ	ツィゴイネルワイゼン	ソドミレ（5123）のつかみ／ロマの人々の歴史／エキゾティシズムと哀愁のロマ音階／ヴァイオリンの超絶技巧の説明（演奏分解と弾き比べ）／サラサーテとパガニーニの、手の大きさと技巧の違い／チャールダーシュの形式構造

回数	作曲者名	曲名	音楽鑑賞の理論的根拠／音楽上のトピック（抜粋）＊
#035	ワーグナー	ジークフリート牧歌	『ジークフリート牧歌』と楽劇《ニーベルングの指環》のモチーフ関連／ライトモチーフの発明（劇と音楽の融合）／「無限旋律」の技法と和声理論／「増三和音」とワーグナーの音楽の深層／『ジークフリート牧歌』誕生秘話
#036	シューベルト	ピアノ五重奏曲『ます』	コントラバス入りの、珍しい五重奏編成／ピアノとチェロの、伴奏からの解放／『ます』のメロディ構成と声楽／原曲と五重奏曲のメロディの異同、その効果／室内楽とは／変奏（バリエーション）の技法／「もしこう書かれていたら」演奏比較／名曲誕生秘話
#037	チャイコフスキー	ピアノ協奏曲第1番	ソロと伴奏の役割の逆転／変ロ短調の曲なのに、変ニ長調／形式を逸脱した長さの序奏部／序奏部そのものがソナタ形式／第1楽章主部の三つの主題／美しい推移部（三つの主題の起源）／改訂プロセスと旧稿との比較演奏／形式構造のアナリーゼ
#038	フランク	ヴァイオリン・ソナタ イ長調	冒頭主題の和声分析（主和音不在と属九の和音）／第2楽章の半音階的旋律／循環形式／レチタティーヴォ・ファンタジア／レチタティーヴォからアリアへ／第4楽章のカノン形式
#039	スメタナ	交響詩《我が祖国》より『モルダウ』	ハープ音の意味／フルート音型とクラリネット音型の機能／モルダウ主題の構造／世界史におけるチェコ／「交響詩」の音楽史および世界史における役割／原曲の民謡の視聴（チェコ語）／『モルダウ』に込められた真の意味
#040	ドビュッシー	《ベルガマスク組曲》より『月の光』	メヌエットのヘミオラ／スタッカートとレガートの効果／ポリリズムのパスピエ／『月の光』の10連続の「七の和音」／『月の光』の和声法／『月の光』の時間性の美学／印象派ではなく「象徴派」だったドビュッシー／『月の光』と仮面舞踏会／「ドビュッシー・スキャンダル」
#041	メンデルスゾーン（生誕200年記念）	《真夏の夜の夢》序曲	妖精のモチーフと和声法／オーケストレーション／変奏される音階／9度下行の意味／再現部での逆カデンツ／独立「序曲」
#042	ボロディン	ダッタン人の踊り	ダッタン人とボロヴェッツ人／ナゾの旋法／ドローンの効果／イングリッシュ・ホルンの楽器法／装飾音の効果／エネルギッシュな旋律法／打楽器の効果／空虚5度／化学者ボロディンとロシア5人組／騎馬風リズムの持続的効果／突然の転調／反近代の音楽
#043	ホルスト	組曲《惑星》	『木星』序奏のミニマル・ミュージック／『木星』主題の構成（平原綾香への影響）／『木星』を中心においた惑星配置／『木星』のメッセージ／『海王星』のフェードアウト（実際の演奏舞台裏のドキュメンタリー）
#044	ベートーヴェン	ピアノ・ソナタ第8番『悲愴』	第1楽章「グラーヴェ」の分析／第1楽章主部の心理効果と音楽分析／ベートーヴェンにとってのハ短調／掟破りの「短調の副主題」／3回現れるグラーヴェ／第2楽章の主題の魅力／Pathétique は悲愴ではなく「パトス」／第3楽章のメッセージ
#045	ヴィヴァルディ	ヴァイオリン協奏曲《四季》より『秋』『冬』	ソネットの意味／古楽器による当時の演奏法／バロック時代の演奏は「演技力」／『秋』の通奏低音の数字付き低音／視覚化された『冬』の音楽／『冬』第2楽章のぬくもりとピエタ慈善院／『冬』における「春の予感」と調性および動機関連
#046	ショパン	練習曲集 作品10より	第1番の演奏技巧（10度のアルペッジョ）／第2番の超絶技巧（右手の中の指の交差）／ショパン自身のハンディの克服／『黒鍵のエチュード』の技巧と、打楽器としてのピアノの特性／『革命のエチュード』の技巧と和声・リズム／ポーランドと世界史／ライバルのリストとの芸術的友情／繊細なニュアンスを求める作曲法／エチュードと練習曲の違い／『別れの曲』の右手の技巧／『別れの曲』の感情表現／『別れの曲』の改訂聴き比べ／ショパンと祖国ポーランド
#047	リスト	エステ荘の噴水	属九、属11の和音での開始／音楽理論上の革新／フランス印象主義音楽の先駆け／ラヴェルの『水の戯れ』との聴き比べ／水の描写のピアニズム／聖職者としてのリスト／リストの絶望と音楽表現／魂の救済と音楽
#048	ショスタコーヴィチ	交響曲第5番	第1楽章の悲劇的響きの分析（跳躍音型のカノン）／「深刻な自問自答」としての不協和音／ダブルカノンの技法／リズム技法／プラウダ批判と時代背景（社会主義レアリズム）／死者への祈り「パニヒダ」／ヴァイオリンで「パニヒダ」を弾き比べ／「二枚舌」の交響曲／第4楽章の252回の「ラ」の連打の意味／第4楽章と『ハバネラ』
#049	プロコフィエフ	ロメオとジュリエット	少女ジュリエットの三つのライトモチーフ／「キャピレットとモンダギュー」の争いの主題の新しさ／「マドリガル」のヘテロフォニー（実験演奏も）／「マドリガル」の愛のモチーフ（調性分析）／変化を恐れなかったプロコフィエフ／「ジュリエットの墓の前のロメオ」（楽器法と、ライトモチーフの統合）
#050	ヤナーチェク	シンフォニエッタ	村上春樹『1Q84』とヤナーチェクの『シンフォニエッタ』／異例な楽器編成（9本のトランペット、バストランペット、高音ティンパニ）／独特のクラシック、増殖する「植物的音楽」／「発話旋律」（モラビア語のイントネーションによる旋律）／ヤナーチェク・サクセスストーリー（独立運動と38歳年下の妻）
#051	フォーレ	レクイエム	主題をヴァイオリンとヴィオラで聴き比べ／教会旋法とⅢ度和音／歌詞を際立たせるテクニック1：声部書法と歌詞／歌詞を際立たせるテクニック2：最小編成の伴奏（サン・サーンスが絶賛）／常識はずれのレクイエム1：「ディエス・イレ」の不在／常識はずれのレクイエム2：「リベラ・メ」／終曲が誘う楽園／時代背景とフォーレの人間観
#052	武満 徹	ノヴェンバー・ステップス	音楽の「三要素」がない新しさ／トーンクラスターの技法（N響による分解演奏）／琵琶と尺八のノイズ的特徴／東西の融合ではなく対峙／邦楽器の図形楽譜／なぜ「ノヴェンバー」「ステップス」なのか
#053	パガニーニ	24の奇想曲	ヴァイオリンの超絶技巧の実演と解説／パガニーニ以前と以後のヴァイオリン技巧の違い／演奏家パガニーニの演出／パガニーニに影響を受けたリストのピアノ技巧のアナリーゼ／悪魔と呼ばれたパガニーニ／パガニーニの音楽史上の意義／パガニーニに影響を受けた作曲家たち／奇想曲第24番＝超絶技巧と作曲の集大成
#054	ブラームス	交響曲第1番	序奏部の重要さ（原素材＝半音階モチーフのアナリーゼ）／動機労作の手法（アナリーゼ）／オーボエ奏者が語る冒頭部／「絶対音楽」派 vs.「標題音楽」派の美学論争（ベートーヴェンをめぐる跡目争い）／第3楽章の、緻密に計算された人工的な主題メロディ／クララの存在とアルペン・ホルンの響き（第4楽章の劇的転換）／ベートーヴェンの交響曲との類似性（ハ短調 c: からハ長調 C: へ／運命モチーフ／第九の「歓喜の歌」の引用）／ブラームスの交響曲はなぜ認められたか

回数	作曲者名	曲名	音楽鑑賞の理論的根拠／音楽上のトピック（抜粋）＊
#055	ラヴェル	マ・メール・ロワ	「眠りの美女」の簡素な書法／自然的短音階／音名に暗号化（アナグラム）された子どもたちの名前／「親指小僧」と迷い道の音楽化／連弾の難所と迷い道／小鳥のさえずり／ラヴェルの挫折の人生（ローマ大賞落選スキャンダル）／「パゴダの女王レドロネット」と人形の世界（中国の5音音階）／「美女と野獣の対話」美女のワルツと野獣の半音階／魔法の解ける瞬間の音楽化／連弾の魅力／心理学者が読み解くラヴェルの題材選択／管弦楽版《マ・メール・ロワ》
#056	バッハ	組曲第3番 ニ長調（G線上のアリア）	ピリオド楽器（古楽器）の魅力と奏法の解説（弦楽器、ティンパニ、ナチュラル・トランペット）／楽器の社会史／通奏低音とはなにか（楽器編成と数字付き低音）／第2ヴァイオリンとヴィオラの対旋律（取り出し演奏）／不協和音と解決（楽曲のクライマックスのアナリーゼ）
#057	ピアソラ	リベルタンゴ	キャッチーなメロディと「リフ」のアナリーゼ／スタッカートとレガート／「3-3-2」のリズム／バンドネオンの楽器学／タンゴ界の異端児、ピアソラ／リベルタンゴにおける「リベルタ＝自由」／タンゴにおけるアレンジの妙
#058	ストラヴィンスキー	バレエ音楽『春の祭典』	楽曲冒頭のファゴットと「展開しないメロディ」／ファゴットの楽器学／「複調」と不協和音／リズムの特徴（ポリリズムも）／打楽器奏者から見た『春の祭典』／ロックの源流としての『春の祭典』／「変拍子」の魅力（指揮者から）／小節線（＝拍節法）からの解放／『春の祭典』とバレエ（ダンサーから）／史上最大のスキャンダル（『春の祭典』初演エピソード）
#059	シューベルト	交響曲第7番『未完成』	ミステリアスな第1主題の和声／ヴァイオリンのざわめき（副旋律）／たった2小節の推移部（驚異の転調）／突然の沈黙（第62小節）と突然の転調／冒頭のモノローグ旋律とシューベルトの心境（交響曲の基調としての「感情旋律」）／シューベルトと父との葛藤／第1楽章の構造アナリーゼ／シューベルトとベートーヴェン／第2楽章（クラリネット奏者にとっての「歌」）／歌詞なしで実現した人間の内面を描いた叙情交響曲『未完成』の事情と作曲から42年後の発見／未完成で完成
#060	ショパン（生誕200年記念）	ピアノ・ソナタ第2番『葬送』	第3楽章と葬送行進曲の伝統／葬送行進曲の中間部＝人生の回想モード／中間部とピアニストの心理／マジョルカ島とショパンの病気／平野啓一郎の長編小説『葬送』／葬送行進曲を作曲したナゾ／「祖国ポーランドへの葬送」説／第1楽章の「息継ぎモチーフ」／第2楽章の中間部＝マズルカ（ポーランドの民族舞踊）／型破りのソナタ／第4楽章＝ソナタ史上最大の問題作
#061	チャイコフスキー	交響曲第4番	「運命」のモチーフ／偽装結婚と破たん／第1楽章のアナリーゼ（N響メンバーの分解演奏による）／第2楽章と「タスカー（露）」／フォン・メック夫人との関係／第3楽章のピッツィカートとバラライカ（比較演奏）／第4楽章とロシア民謡／第4楽章の楽曲構造のアナリーゼ
#062	モーツァルト	アイネ・クライネ・ナハトムジーク	第1楽章の魅力＝推進力／主題法のバランス感覚／失われた第2楽章のナゾ／作品誕生のナゾと時代背景／タイトルではない「アイネ・クライネ・ナハトムジーク」／委嘱がなければ作曲しない時代／名曲誕生の意外なヒミツ＝SPレコードの発明
#063	シューマン（生誕200年記念）	幻想曲 ハ長調	クララとの結婚が認められなかった時期／クララとCAAモチーフ、6度音程／シュレーゲルの詩の引用の意味／第1楽章の和声アナリーゼと「かそけき音」の正体／ベートーヴェンの歌曲集『遥かなる恋人に』の引用／第2楽章と、クララにしか弾けない難所／シューマンの二面性（オイゼビウスとフロレスタン）／ロマン派における「詩的観念」
#064	シューベルト	歌曲『魔王』	伴奏を超えたピアノ・パート（ピアノの表現力）／声楽家が語る「キャラクターの描き分け」／性格描写の技法／恐怖の音楽的正体／魔王を表す伴奏音型／心理描写の音楽表現／悲劇の構図のブリッジ役としての父親／詩のドラマと音楽のドラマの音楽理論的一致／「魔王」の正体／ゲーテの『魔王』の歴史的位置／劇的なクライマックスと、劇的な結末表現／通作歌曲とゲーテの嫌悪／大衆が求めたドラマ性と芸術性／「作品番号1」の意味
#065	ヨハン・シュトラウス	美しく青きドナウ	ヴァイオリンの開放弦の共振現象／キューブリック監督の『2001年宇宙の旅』（3拍子と円運動、自然倍音列）／シンプルなのに飽きさせない旋律法／ワルツの舞踊史／踊りの立場からのアナリーゼ／踊るワルツと聴くワルツ／普墺戦争敗北とドナウ／原曲の合唱版
#066	ラフマニノフ	パガニーニの主題による狂詩曲	リストの装飾変奏とラフマニノフの性格変奏／抽象化された主題／緻密な24の変奏曲の流れ／「ディエス・イレ」による変奏曲／失われたロシアと「ディエス・イレ」／鏡像形と第18変奏曲／第18変奏のアナリーゼ（遠隔調、倚音、ポリリズム）／ラフマニノフのピアニズム／10年の沈黙を破って作曲したわけとは
#067	マーラー	交響曲第1番『巨人』	弦楽器のフラジョレット奏法／自然と人間をつなぐ音程としての「4度」／4度音程のカッコウ／指揮者が作曲した交響曲／演奏者への指示書き、聴衆に「見せて聴かせる」音楽／原曲の歌曲からアナリーゼする『失恋交響曲』／葬送行進曲とマーラーを取り巻く死の影／第3楽章とコントラバスのソロ／「異化」の音楽／「地獄から天国へ」／「偽りの大団円」／ジャン・パウルの小説『巨人』
#068	ベートーヴェン	ピアノ・ソナタ第23番『熱情』	シンプルな分散和音にこだわった「動機労作」／隠し素材としての「運命のモチーフ」／同連打のモチーフと他曲への応用／エラール社のピアノとの出会いが生んだ名曲（新しいピアノで何が変わったのか）／第2楽章の変奏曲の仕組み／第2楽章末尾の減七和音とアタッカ／第3楽章の主部への移行部の妙／無窮動的な第3楽章／濡れた自筆譜とベートーヴェンの作曲へのこだわり／第3楽章コーダにおける音楽的集約（自筆譜で削除された17小節も再現演奏して比較）

91

回数	作曲者名	曲名	音楽鑑賞の理論的根拠／音楽上のトピック（抜粋）＊
#069	ドビュッシー	水に映る影	メロディのない、ハーモニーを主役に／刻々と表情を変える自然の情景と音楽表現／手の構造とドビュッシーのピアニズム／ペダルの妙技と響きのコントロール／西洋と東洋（ガムラン、葛飾北斎）、古さと新しさの融合／社会性を欠き、不幸な人生（二人の女性の自殺未遂事件など）／言葉を超えた感覚的な心象風景、官能和声
#070	ムソルグスキー	交響詩『はげ山の一夜』	元祖ホラーミュージックの秘密／映画音楽にも影響を与える先駆的な作曲テクニック（アナリーゼ）／魔物たちの饗宴（楽器法の解説）／ディズニーの『ファンタジア』(1940)／非西洋的なロシア音楽の要素（ロシア5人組）／民間伝承とゴーゴリの小説『イワン・クパーラの前夜』／オペラ『ソロツィンチーの定期市』でのリサイクル／リムスキー＝コルサコフによる補筆完成版（通常版）と原曲の聴き比べ
#071	シベリウス	交響曲第2番	第1楽章の波と鳥（フィンランドの自然）／交響詩『フィンランディア』の成功とイタリア旅行（交響曲第2番の成立）／第2楽章の「ドン・ファンとその死」（ドン・ファンの文化史）／高音ティンパニの用法（N響ティンパニストによるロール奏法の解説）／第2楽章の「最後の審判」と「キリストの昇天」（嬰ヘ長調 Fis: の音楽修辞学）／第4楽章の主題における「促音便」的メロディとフィンランド語／第4楽章の56回ものオスティナート＝ sisu（フィンランド語で「不屈の精神」）／勝利の讃歌と「魂の告白」交響曲
#072	ハイドン	弦楽四重奏曲『ひばり』	なぜ「ひばり」か、旋律法から読み解く／ひばりのリズム法／動機労作のアナリーゼ（五つのモチーフで埋め尽くされる）＝探し物効果／動機労作はキルト編み物／演奏者にとっての動機労作／弦楽四重奏曲の始祖、ハイドン／ハイドンのヴァイオリン書法（第2楽章）／第3楽章と舞曲の進化／第3楽章のアナリーゼ（展開する前打音、展開する強弱記号、3小節フレーズ）／モーツァルトの『ハイドン四重奏曲』／ハイドンとモーツァルト、二人の切磋琢磨／無窮動の第4楽章とフーガ／2段階のフェイント・エンディング
#073	ウェーバー	歌劇《魔弾の射手》序曲	ホルンの社会史／2種類の調によるナチュラル・ホルン（実演付き）／「悪魔のモチーフ」「善のモチーフ」「暗い力のモチーフ」「マックスのアリア」と心理描写（弦楽器のトレモロのサンプル演奏）／真のドイツ・オペラの誕生の時代背景／変えられたエンディング／交響詩の原型となったウェーバーの序曲
#074	ワーグナー	楽劇《トリスタンとイゾルデ》より『前奏曲と愛の死』	音楽史上、大論争を巻き起こした「トリスタン和音」／音楽にも意味を語らせた「ライトモチーフ」の手法／音楽の官能性（アナリーゼ）／ワーグナーが描いた「内面の愛」と、ワーグナー自身の道ならぬ愛（フロイト以前の「無意識」の世界）／新しい総合芸術としての楽劇
#075	ショパン（生誕200年記念）	ピアノ協奏曲第2番 ヘ短調	劇的なピアノ独奏の登場のワケ／作曲家ショパンの原点／旋律と伴奏のアナリーゼ／青年ショパンの豊かな感受性（気持ちと指の一致）／「歌うピアノ」のピアニズム／第2楽章と主題の変奏（初恋の女性）／第3楽章＝マズルカ／『ノクターン第20番』に引用された第3楽章の主題／「花の影に隠された大砲」（シューマンの言葉）
#076	ショパン（生誕200年記念）	舟歌	8分の12拍子のバルカロール／中間部や第2主題のピアニズム／コーダの構成／愛の破局と魂の解放／何のために作曲した曲だったのか
#077	シューマン（生誕200年記念）	歌曲集『詩人の恋』	第1曲「美しい五月」のピアノ前奏・間奏の意味／伴奏ではなくなったピアノ・パート／第2曲「私の涙から」と第3曲「ばらに、ゆりに、はとに」のバルランド唱法による作曲／シューマンの文学的側面／第7曲「私は恨まない」における詩と音楽の表現の二重性（下行し続けるピアノ・パート）／第8曲「花が知ったら」第9曲「鳴るのはフルートとヴァイオリン」とクララとの恋愛／第16曲「むかしのいまわしい思い出」の2分も続くピアノ後奏部の意味
#078	ラヴェル	ピアノ協奏曲 ト長調	第1楽章のバスク民謡（新古典主義）／複調的なピアノ伴奏／第2主題とジャズの影響のアナリーゼ／ピアノのトリルだけで弾くメロディ／ラヴェル渾身の楽章／書かれた第2楽章（書かれた拍子と聴こえる拍子のズレ）／第一次世界大戦と新しい音楽の創出／脳障害による最後の大作『ピアノ協奏曲』ト長調／第3楽章とジャズ・セッション／ラヴェルと遊び心の協奏曲
#079	モーツァルト	ピアノ・ソナタ トルコ行進曲付き	第1楽章の主題と変奏（6の変奏曲のアナリーゼ）／装飾変奏の特徴／伴奏部の特徴（ショパンとの演奏比較）／ソナタ形式を使わないソナタ／ザルツブルクからウィーンへ／ヴァルターの跳ね上げ式ハンマーをもったピアノ（実物で検証）／トルコ軍の第二次ウィーン包囲(1683)とモーツァルトの『トルコ行進曲』(1783)／トルコの軍楽隊の音楽的要素（アナリーゼ）／オーケストラ楽器にアレンジして比較演奏
#080	チャイコフスキー	バレエ『白鳥の湖』	『白鳥の湖』のライトモチーフ／「ラメント・バス」のアナリーゼ／「情景」のオーボエ（フルートでも試奏して比較）／オーボエ、ハープ、ホルン、弦楽器群の楽器法（それぞれ取り出し演奏で比較）／バレエ史を塗り替えた作品（熊川哲也インタビュー）／白鳥と黒鳥の調対比（♯系の白鳥と♭系の黒鳥）／チャイコフスキーが描いた「永遠の愛」（激しい転調の意味、死を表すタムタム、全曲を通して初めてのトランペット・ソロ、ハープの上昇音型、伴奏形の上昇）
#081	ヘンデル	メサイア	オラトリオとは（オペラと比較）／ストーリー展開の自由さ（第11・12曲）／合唱の効果（第16・17曲）／演技を伴わない音による表現力（第17曲）／受難のドラマ（第23曲）の音楽アナリーゼ／イギリス人作曲家ヘンデル／第29曲と「救い」への共感（キリストの救いとヘンデル自身の救い）／ハレルヤ・コーラスの魅力のアナリーゼ／ゴスペル版ハレルヤ・コーラス／ハレルヤ・コーラスのクライマックス形成の見事さ／古楽器オーケストラで聴く《メサイア》
#082	レスピーギ（NHKイタリア特集）	ローマの松	第1楽章「ボルゲーゼ荘の松」のオーケストレーション／第1楽章に引用されているわらべ歌（イタリア人にインタビュー）／第2楽章「カタコンブ付近の松」＝古典イタリア音楽の再発見／5度の並行和音とグレゴリオ聖歌／第3楽章「ジャニコロの丘の松」におけるマルチメディア的表現（曲中のナイチンゲールの録音再生）／レスピーギの管弦楽組曲『鳥』の比較演奏／第4楽章「アッピア街道の松」＝巨大なクレシェンドの楽章

回数	作曲者名	曲名	音楽鑑賞の理論的根拠／音楽上のトピック（抜粋）＊
#083	ヴェルディ（NHKイタリア特集）	レクイエム	第1曲「レクイエムとキリエ」のアナリーゼ（morendoとオーケストレーション）／第2曲「ディエス・イレ」の究極のユニゾン効果／「ディエス・イレ」のオーケストレーションのアナリーゼ／N響打楽器奏者が語る、大太鼓の裏拍の最強音／宗教曲らしからぬオペラ的声楽書法のアナリーゼ／「聖なるかな」の8声部の二重フーガ／4回も登場する「ディエス・イレ」の死生観／世界的指揮者チョン・ミョンフンが語るヴェルディの『レクイエム』（人生＝運命の力に対する苦悶）／終曲「レクイエム」のア・カペラ合唱（人生そのもの）
#084	ドヴォルザーク	スラブ舞曲集	第1集第1曲のリズム＝フリアント（2・2・2・3・3の民族舞踊リズム）／実際の踊り／同第2曲ドゥムカ／連弾ならではの楽しみ（プリモとセコンドが同時に弾く同じ鍵盤／ペダルの踏み分け／強弱の一致／手の交差）／19世紀の連弾ブーム／同第3曲、第4曲、第7曲スコチナー（動機労作にもかかわらず自然で親しみやすいメロディのアナリーゼ）／連弾ならではの第7曲冒頭のカノン／管弦楽版／チェコの土着文化の中で育ったドヴォルザーク／ブラームスに見いだされたドヴォルザーク／デビュー作としての『スラブ舞曲集』／第2集第2番＝ブラームスの交響曲第4番へのオマージュ（パッサカリア主題）／音楽家の精神のリレーとしての『スラブ舞曲集』（バッハからブラームス、そしてドヴォルザークへ）
#085	ブルックナー	交響曲第7番	第1楽章の第1主題の異例の長さ（11回も転調する調のアナリーゼ）／第2主題と第3主題の調のアナリーゼ／転調を繰り返す長い交響曲の魅力／第2楽章の繰り返しの多さ（主題末尾のフレーズの繰り返しと転調）／ミニマル・ミュージックに通じる反復性（久石 譲の説明）／繰り返しが生む壮大な高揚感／ワンパターンの作曲家（ブルックナー開始、ブルックナー・ユニゾン等）／オルガニストならではの作曲法（オルガンの実演）／愚直で不器用なブルックナーの人生と交響曲／ワーグナーへの追悼曲としての第2楽章／ワーグナー・チューバの楽器学
#086	ブラームス	クラリネット・ソナタ第1番	情熱とあきらめを繰り返す第1楽章の「枯淡の境地」（旋律アナリーゼ）／第2楽章の揺れ動く心情表現（バス音の先取りリズム）／5種類も求められるpの弾き分け／クラリネットの最低音の魅力（この楽器を知り尽くしていたブラームス）／クラリネット奏者にとってのブラームスのソナタ／第4楽章のクラリネットとピアノの楽しい語らい／ミュールフェルトの助言と改訂された楽譜（新旧の試方）／「クララ・コード」のナゾ（アナリーゼ）
#087	チャイコフスキー	ヴァイオリン協奏曲	巧妙につくられた序奏部（属音の保続）／第1主題の断片を序奏部で予告／こぶしとしての装飾音符／「歌う楽器」ヴァイオリン／重音奏法（超絶技巧）とヴァイオリンの楽器学／20世紀を先取りしていたチャイコフスキーのヴァイオリン書法／第1楽章のカデンツァにおけるさまざまなヴァイオリン奏法の実演解説（重音／人工ハーモニクス／グリッサンド）／「悪臭がする音楽」との酷評（ロシア音楽の要素）＝批判は魅力の裏返し／結婚の破たんと、男性の恋人との共同作業から生まれた名曲／ソロとオーケストラのかけ合いの非常に多い協奏曲
#088	ドビュッシー	交響詩『海』	第1楽章「海の夜明けから正午まで」に聴く、インドネシアのガムラン音楽の影響／もともとのタイトルは「サンギネール諸島の美しい海」（葛飾北斎の『神奈川沖浪裏』は作曲に無関係）／波と東洋のイメージ／異例の16台チェロを指定（普通は10台）／寄せては返す波の表現／第2楽章「波の戯れ」とドビュッシーの原風景（海から遠く離れたブルゴーニュの丘）／記憶の中の海／モチーフの断片を散りばめた曲（アナリーゼ）／第3楽章「海と風の対話」のモチーフ・アナリーゼ／第3楽章作曲中に、不倫相手とイギリス海峡を逃避行（妻は自殺未遂で大スキャンダルに）／形式やモチーフ展開のない新しい音楽／母としての海
#089	バッハ	マタイ受難曲	『マタイ受難曲』の音楽的な三層構造＝①エヴァンゲリスト（語り部）によるストーリー説明②アリア（一人称の世界）③コラール（賛美歌）／5回登場するコラール（ハスラー作曲）が受難の物語の展開とともに繊細に変化／音楽修辞学のアナリーゼ（音符に隠された、十字架の後ろに控えるバッハ）／第63曲の自筆譜に見る、隠された十字架の図／バッハの象徴数＝14（第63曲のバスの音符数や第65曲の歌詞）／神に捧げた作品（ルター派）と第39曲アリア（ペテロの否認＝激しい罪悪感）／メンデルスゾーンによる80年後の復活演奏＝バッハ復活
#090	特集オーケストラのすべて（1）ベートーヴェン	交響曲第5番『運命』	「指揮者の秘密」がテーマ／オーケストラ・スコアへの指揮者の書き込み（企業秘密）／指揮者の七つ道具／大量の着替えのシャツ／素人とプロの指揮者の振り比べ（東京フィルハーモニー交響楽団）／指揮者が必要になった理由／指揮の打点とは／指揮者の解釈は打点の前後で示す／オーケストラ・リハーサルにおける指揮者の重要性（指揮者は何をリハーサルしているのか）／交響曲第5番冒頭の演奏の難しさ（楽曲アナリーゼ）／実際のオーケストラは指揮者の何を見ているのか／長さに音楽理論の法則がある、フェルマータ／フェルマータの長さ名盤聴き比べ／驚異の動機労作でできた交響曲第5番（アナリーゼ）／「交響曲の中の交響曲」／楽譜の行間を読む指揮者／指揮者が演奏で目標とすること
#091	特集オーケストラのすべて（2）リムスキー＝コルサコフ	交響組曲『シェエラザード』	管弦楽法とは何か／シェエラザードを表すヴァイオリン独奏（コンサートマスターと指揮者のやりとりのドキュメント）／第1楽章「シンドバッドの海の冒険」の管弦楽法（金管楽器群の取り出し演奏／木管楽器群の取り出し演奏／弦楽器群の取り出し演奏／全員での演奏）／第1楽章と第2楽章における、木管楽器がもたらす色彩の変化（それぞれの楽器の取り出し演奏）／コンサートマスターの仕事①指揮者の解釈をオーケストラ全員に演奏で伝える、②弦楽器群のボウイング（運弓法）の決定、③アインザッツを出すことで、オーケストラ全体の演奏を統括する（第3楽章の木管楽器のカデンツァ部分の伴奏ピッツィカートを例に）／第4楽章におけるシャーリアール王の「改心」のアナリーゼ
#092	特集オーケストラのすべて（3）ドヴォルザーク	チェロ協奏曲	第1楽章のオーケストラ提示部と、第1楽章における独奏チェロの出だしの意味（堤 剛のインタビュー）／ソリストとオーケストラとの対話としての協奏曲／「チェロ」協奏曲ならではのオーケストラ側の苦労／ドヴォルザークの歌曲『ひとりにさせて』と『チェロ協奏曲』の第2楽章（初恋の女性の危篤）／第3楽章では、なぜ独奏チェロ以外の楽器のソロが多いのか／とりわけコンサートマスターとの二重奏／チェロという楽器の特性を最大限引き出した協奏曲／カデンツァがない協奏曲／内省的なコーダ（初恋の女性の死）
#093	特集オーケストラのすべて（4）マーラー	交響曲第2番『復活』	オーケストラ編成の歴史（120人の巨大オーケストラに至るまで）／巨大編成と巨大コンサートホールの建造／巨大編成と音楽表現の幅の拡大／大統一理論としてのマーラーの交響曲（音楽史における「宗教」と「声楽」と「器楽」の止揚）／第1楽章はなぜ「葬礼」なのか（アナリーゼ）／『復活』の大きな楽曲構成／「ディエス・イレ」と「永遠のモチーフ」（死に対する否定と肯定）／「遠くで」演奏されるトランペット（音響効果と視覚効果）／マーラーの、人生への問いかけに対する答えとしての交響曲／死生観の表現としての歌詞「私はよみがえるために死ぬ」

その2 オペラこぼれ話

オペラは「目」で鑑賞しよう

オペラは、訳語が「歌劇」なので、「歌」と「劇」という印象が強いと思いますが、「オペラ」を構成している要素はそれだけではありません。**「バレエ」**があることを忘れていないでしょうか？ 欧米では、オペラハウスに所属しているのは「オーケストラ」と「合唱団」と「バレエ団」です。「踊り」も、オペラの大切な要素の一つなのです（図参照）。

だから、オペラ鑑賞はぜひ**映像付き**で観てほしいと思います。そもそも、音楽を「音だけ」で聴く習慣は、レコードが発明された1877年以来100年ぐらい前からのものにすぎません。本来、オペラだろうと器楽曲だろうと、作曲家は観客の**「目の前」**で演奏されることを前提として書いたのです。

とりわけ「オペラ」は、見て聴いて楽しむものですから、実際に劇場で観るもよし、DVDやBlu-rayを観るもよし、とにかくオペラの舞台を「目」で鑑賞しましょう。

オペラがたどった「歴史」にも注目（年表参照）

時代を追ってオペラを見てみると、時代ごと、国ごとに、さまざまな違いに気づくと思います。モーツァルト（1756-1791）の時代のオペラには、必ず「踊りのシーン」（バレエ）が登場します。しかし、バレエは徐々にオペラから抜けていく歴史をたどります。**踊りの要素はオペレッタに残り**、それが発展して今日の**ミュージカル**へと発展します。ミュージカルの元祖がオペラだと思うと、オペラが身近になりますね。

18世紀、オペラの多くがイタリア語で書かれていた時代に、モーツァルトはドイツ語のオペラにチャレンジしました。その最高傑作の一つが《魔笛》なのです。モーツァルトはなぜ、ドイツ語で書くことにこだわったのか。そこには当時の音楽業界「裏事情」が絡んでいるのです。そん

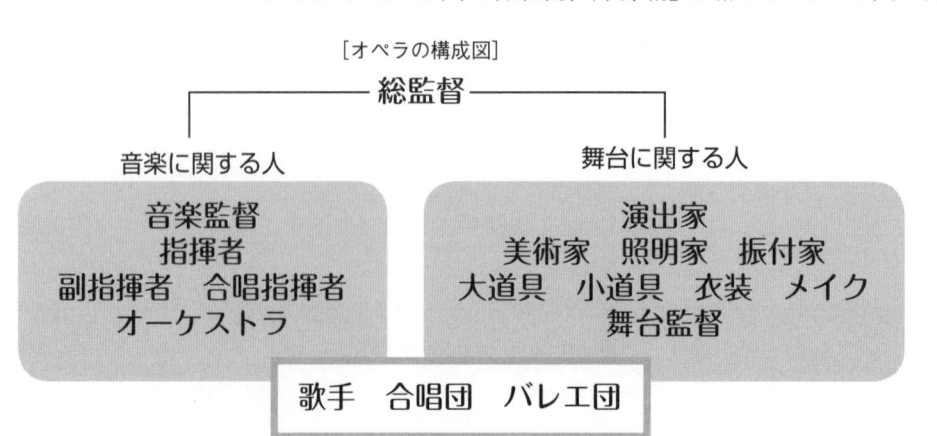

[オペラの構成図]

```
          ─────── 総監督 ───────
         │                       │
    音楽に関する人          舞台に関する人
   ┌──────────┐      ┌──────────────┐
   │  音楽監督  │      │    演出家      │
   │  指揮者    │      │美術家 照明家 振付家│
   │副指揮者 合唱指揮者│ │大道具 小道具 衣装 メイク│
   │ オーケストラ │      │    舞台監督    │
   └──────────┘      └──────────────┘
```

┌─────────────────┐
│ 歌手　合唱団　バレエ団 │
└─────────────────┘

[オペラの歴史略年表]

西暦	1600	1700	1800		1900
時代	バロック			古典派	ロマン派
オペラ史	オペラとオラトリオの誕生 モンテヴェルディ（1567-1643）のオペラ《オルフェーオ》初演（1607）	フランス・オペラの発展 リュリ（1632-87） ラモー（1683-1764）らが活躍	各国語オペラの発展 グルック（1714-87）のオペラ改革 グルック・ピッチンニ論争 ウェーバー（1786-1826）のドイツ国民オペラ ロッシーニ（1792-1868）旋風	ロマン主義オペラ・楽劇 ヴェルディ（1813-1901） ワーグナー（1813-83）の活躍 オペレッタ J. シュトラウス（1825-1899）	ヴェリズモ・オペラ マスカーニ（1863-1945）ら
本稿で扱っている作品			《フィガロの結婚》初演（1786） 《魔笛》初演（1791）	《椿姫》初演（1853） 《カルメン》初演（1875） 《ニーベルングの指環》初演（1876）	《トゥーランドット》初演（1926）

な歴史的・社会的背景にも注目し、モーツァルトの思いなども、ぜひ感じ取ってほしいと思います。

作曲家によってこんなに違う、オペラの「美学」

なんといっても「歌」が主役のイタリア・オペラ。ヴェルディ（1813-1901）などイタリアの作曲家は、オペラの中の曲がアリア・重唱・合唱など、1曲ずつ完結する形、すなわち、1曲ずつ番号が付いた**「ナンバー・オペラ」**を踏襲する形で作品を書きました。1曲歌い終わると、そこで観客の拍手がきます。

ドイツのワーグナー（1813-1883）は、それが嫌でした。幕の途中でドラマを中断したくない。そこでワーグナーは、1幕の間ずっと音楽が鳴り続ける形、**「無限旋律」**という手法を使って、ドラマ全体を一つの楽曲にしました。そのため、ワーグナーは自分のオペラのことを、**「楽劇（ムジークドラマ）」**と呼んだのです。

ドラマの世界から観客を現実に引き戻さないための工夫は、徹底しています。ワーグナーは、オーケストラさえ観客の目に入らないように、オーケストラ・ピットにふたをし、舞台の真下に潜り込む設計にしたのです。バイロイト祝祭劇場（1876年竣工）は、ワーグナーの専用劇場で、客席からは完全に舞台しか見えないようになっています。

作曲家によって「オペラ」に対する考え方、つまり**美学**が違うので、先生方はぜひ、それを知ったうえで鑑賞のポイントを決めてほしいと思います。

「オーケストラ・スコア」を見よう

19世紀のオペラ（ロマン派のオペラ）は、**ドラマの要素がより重視**されるようになっていきます。そのとき必要になるのが、**「オーケストラ」の表現力**です。音楽にドラマの意味を語らせる。言葉と所作（動き）

と音楽の力で表現しようとする。オペラが「総合芸術」といわれるゆえんです。

　先生方には、**絶対「オーケストラ・スコア」を見て**いただきたいですね。ピアノ簡易譜（ヴォーカル・スコア）ではダメです。音楽に何を語らせているのか。楽器の使い方がどうなっているか。演奏と歌がどのように絡んでいるのか。スコアを見なければわからないことが、たくさんあるのです。先生方はぜひ、**スコア・リーディング**をしてから鑑賞の授業に臨みましょう。

野本流授業で使える作品解説

■《フィガロの結婚》モーツァルト作曲

　モーツァルトの《フィガロの結婚》（1786年初演）は、芝居をしながらレチタティーヴォ（朗唱）で話を進めていく、古いタイプのオペラですね。

　このオペラがなぜウィーンで上演禁止になったのか。主人公フィガロに代表される、当時の賢い市民階級が、アホな貴族を笑いものにする強烈な「毒」が、このオペラには仕組まれているからですね。フランス革命（1789-1799）直前という**社会背景**なども知っておくと、作品をより深く理解できると思います。

　さて、有名な二つのアリアが、フィガロが歌う『もう飛ぶまいぞ この蝶々』と、ケルビーノが歌う『わが胸の燃ゆるは』ですね。どちらも「いい曲だね」で終わってしまうのではなく、ぜひ**オーケストラの表現力**に着目してほしいと思います。

　フィガロのアリアは、トランペットとティンパニが入っています。これは軍隊の行進を表現しているのです。**軍隊ラッパ**のある軍楽隊ですね。ケルビーノが罰として軍隊行きを命令されるわけです。付点リズムと分散和音とユニゾンで、勇ましく表現されています。

　一方、ケルビーノのアリアは、**木管楽器**にご注目。クラリネットとファゴットが出てきます。このアリアまでクラリネットは休んでいるので、このアリアのためにとってあったんだ、という感じですね。弦楽器をピッツィカートにして、弦の音色を「消す」工夫もしていて、まるで木管合奏に聞こえます。モーツァルトは、ただ者じゃないですね（笑）。

　普通ヴィブラートを使わない**クラリネット**は、透明感のある音色の印象があります。少年ならではの純粋な恋を表現するのには、ぴったりです。よく考えられた楽器の選択といえますね。ちなみに、オペラでは少年の役を、女性が担当します。それを**「ズボン役」**と言います。だから少年ケルビーノは、女性が演じます。

　それからもう一つ、ピリオド楽器（古楽器）だと、トランペットがよく鳴り響きます。チェンバロも入っていたりします。ピリオド楽器は、弦をあまり強く張れないので、チューニングが半音ぐらい低いです。

■《椿姫》ヴェルディ作曲

　ヴェルディ（1813-1901）の『椿姫』（1853年初演）は悲しい物語です。

史上初の「**泣けるオペラ**」ともいわれますね。でも、そもそもイタリア語の原題『ラ・トラヴィアータ』とは「traviare（道を誤らせる、堕落させる）」という動詞の過去分詞の女性形ですから、「道を踏み外した女、堕落した女」が本来の意味です。「椿」など直接関係ないのに、**なぜ『椿姫』という邦題なのか**気になりませんか？

実は、オペラの原作となったアレクサンドル・デュマ・フィスの小説（戯曲）が「ラ・ダーム・オ・カメリア（椿の貴婦人）」つまり「椿姫」だったのです。オペラの邦訳タイトルは、原作からとられたわけです。

「道を外れた女」が、主人公ヴィオレッタの職業、つまりクルティザンヌ（高級娼婦）を指すことは明らかでしょう。主人公が娼婦！ 当然のことながら、オペラの題材として適切かどうか、初演当時もイタリアで大論争となりました（学校教育の教材としては、そこらへんをうやむやにしていますが）。

ヴィオレッタは、結局パリに行くことが叶わず、病で死んでしまいます。ヴェルディは、**歌の聴かせどころをつくるのが非常にうまい**作曲家ですね。歌い手が感情を入れることができる部分をちゃんと用意しています。歌だけでクライマックスをつくったり、泣かせどころをつくったり、その「聴かせ方」というのを熟知しているように思います。

イタリアの伝統的な歌唱法である**ベル・カント唱法**（のどにストレスを与えない歌唱法）をうまく使った表現であり、声の使い方が劇的にうまいと思います。伴奏なしの部分があったり、器楽曲でいう「カデンツァ」的な部分があったり、**歌い手をうまくクローズアップする**のが、ヴェルディの特徴の一つといえるでしょう。

ヴィオレッタとアルフレードが歌う二重唱『パリを離れて』などは、なんともドラマチックです。揺れるように動く旋律が、まさに二人の「心の揺れ」を表現しているようです。甘くせつない感じが、二人の「儚い夢」を描いているようにも聞こえます。

オーケストラのほうは弦の存在感をあえて薄くして、歌が際立つようにしています。徐々に盛り上がっていき、揺れる思いが一層強まる感じがします。

ヴェルディのオペラは、この他にも《リゴレット》や《アイーダ》《オテロ》などもあるし、ドラマチックな《レクイエム》なども作曲していますので、他の作品もいろいろ聴いたり観たりしてみるといいと思います。

■《ニーベルングの指環》ワーグナー作曲

ワーグナーの作品を理解するには、**「ライトモチーフ」**（示導動機）を知っておくことが大切ですね。ライトモチーフとは、ある人物や物、あるいは事柄や状況と緊密に結びつけられた、意味が特定化されたメロディや和声、リズムなどのことです。そのモチーフが楽劇の中で聞こえてくると、「ああ、あの人のことか」とか「化けているが、敵方だな」などとわかるわけです。

楽劇《指環》全4部作《ラインの黄金》1869年初演、《ヴァルキューレ》

譜例1 『誰も寝てはならぬ』

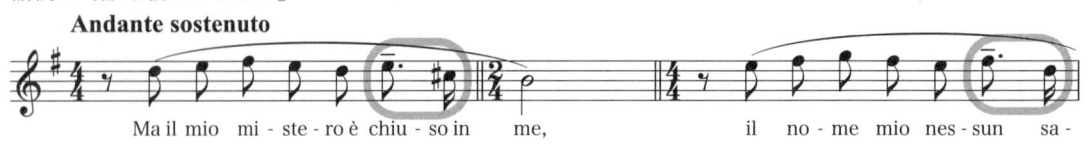

1870年初演、《ジークフリート》1876年初演、《神々の黄昏》同年初演）で、ライトモチーフは全部で100個以上あるといわれますが、ワーグナーの作品には、そのようなしかけが楽曲の中にいくつも潜んでいるのです。

《指環》第1夜の《ヴァルキューレ》にも、多くのライトモチーフが登場します。たとえば、「ヴァルキューレの騎行」「契約の動機」「槍の動機」「炎の動機」など。**舞台上の場面の意味を音楽そのものが表現**しているので、音楽を聴けば、わかるというしかけです。ワーグナーを鑑賞するなら、そういうことも含めて理解していかないと、理解されたことにならないような気もします。

また、ワーグナーの作品は、**オーケストラの使い方**もすごいですよ。たとえば「ヴァルキューレの騎行」のメロディを吹奏するホルン・パート。ここは、実は複数の演奏者が**分担してリレー**しながらメロディを演奏するように書かれています。息継ぎの問題とか音域の問題があって、一人では演奏することが難しいので、そうさせているのです。これも、**オーケストラ・スコアを見ないとわからない**ことですね。

先生方はぜひ、スコアを開いて音楽を感じ取り、ライトモチーフを理解してから鑑賞の授業に進んでみてください。

■ **《トゥーランドット》プッチーニ作曲**

プッチーニ（1858-1924）の《トゥーランドット》（未完のため1926年に初演）は、中国の北京を舞台にしたオペラですね。プッチーニのオペラには日本を舞台とした《蝶々夫人》（1904年初演）などもあり、アジア的な雰囲気を取り入れるのがうまかったのかもしれません。

プッチーニのオペラは**歌の魅力**に注目です。メロディをつくらせたら天下一品、これは天才ですね（笑）。テノールのカラフが歌うアリア『誰も寝てはならぬ』などは、なんとも感動的、扇情的なメロディです。つくりからいえば、ただ音型を上行・下行するだけの簡単なメロディにすぎないのに、なんでこんなに感動的になるのだろう、と感嘆します。

その秘密の一つは、**付点**があるからですね（譜例1）。つまり「**タメ**」です。このタメがなければ、全然感動的ではなくなってしまいます。

さらには、このメロディを追いかけるようにオーケストラが演奏します（譜例2）。「募る思いは追いかける」、そんな感じがして、聴いていてグッとくるところです。作曲に対して、思わず「うまい！」と言いたくなります。プッチーニの音楽は、やや通俗的だといわれることもありますが、いいものは、いい。観客は**物語よりも、この「音楽」を聴いて涙する**のです。

オーケストラのサウンドは、実はそんなに分厚く重なっているわけではありません。サウンドのつくり方は、とても単純。それでも、思いが少しずつ高まるように、サウンドも少しずつ厚みを増していき、最後は全員のオーケストラになって、聴く人の感情を高めます。こういう構成もうまいですね。そんな音の重なり具合も、**オーケストラ・スコアを見て、ぜひ確認してほしい**と思います。

その3 おすすめ音楽書

ご存じのように、鑑賞教育において現場の教師に求められるのは、生徒の**言語活動**、すなわち**「根拠のある批評」**の指導に変わりました。

ここでは、手軽に読めてタメになる本をご紹介しましょう。

まず、「鑑賞の言語活動の実例」として話題になっていた、NHKのテレビ番組『名曲探偵アマデウス』の書籍版です。番組のコンセプト**「名曲はなぜ名曲なのか」**を、テレビそのままに紙面化した本です。

なぜ名曲にぐっとくるのか、なぜせつない感じがするのか、なぜ懐かしい感じがするのか。作曲家の人生や歴史的背景はもちろん、音楽理論的な説明や楽器の特性、奏法上の特徴など、オールカラーでビジュアル化されているうえ、演奏者へのインタビューや、付録CDには譜例の音源、部分的にはテレビ放映時の解説音声も収録されています。

ちなみに同じコンセプトで執筆され、NHKの番組の元ネタとして使われたのが、『図解雑学 クラシックの名曲解剖』です。先の本とは作品がいっさい重複しませんので、こちらもおすすめです。

次に、もう少し専門的に音楽アナリーゼに取り組んだ本が、『新音楽鑑賞法 名曲に何を聴くか』です。副題に**「音楽理解のための分析的アプローチ」**とあるように、「聴く」という感覚的な行為が「知識」と

CD付き
NHKクラシックミステリー
名曲探偵アマデウス
野本由紀夫 監修
本体1800円＋税
ナツメ社

図解雑学
クラシックの名曲解剖
(CD2枚組付き)
野本由紀夫 編著
本体1600円＋税
ナツメ社

いかに不可分であるか、いや感性を豊かにするためには、むしろ「知っている」ことが前提となる、と喝破しています。

ショパンの『別れの曲』やスメタナの『ブルタバ』、シューベルトの『野ばら』などの超有名曲を題材に、次の観点から分析しています。第1章「音楽とテンポ」、第2章「拍子とリズム」、第3章「旋律」、第4章「音組織と調性」、第5章「オーケストラの楽器」。そして最後に総合的分析として、ベートーヴェンの『運命』の心理学などが語られます。

同じ著者の『アナリーゼで解き明かす　名曲が語る音楽史』（現在絶版）および続編の『アナリーゼで解き明かす　新　名曲が語る音楽史』（ともに音楽之友社）もおすすめです。

最後に、「見ると聴こえる」というコンセプトからアプローチした本が、『はじめてのオーケストラ・スコア』です。

「見ると聴こえる」は二重の意味です。一つは、「楽譜」を見てみると、今まで聴こえていなかった音・楽器まで聴こえてくること。もう一つは「ステージ上」の楽器や奏者を見てみると、対旋律や伴奏の音まで聴こえる、という意味です。楽譜（目）→楽器（目）→音（耳）→楽譜（目）……これらは相乗効果を生み出すのです。

つまり、音楽鑑賞は「耳」だけではダメだ、という強烈な主張が、この本のマニフェストといえるでしょう。

鑑賞授業の言語化には、楽譜や楽器の知識が不可欠です。教材研究には一見直接結びつかないように思えても、きっと教育現場で実を結ぶことでしょう。

新音楽鑑賞法
名曲に何を聴くか
田村和紀夫 著
本体 2800 円＋税
音楽之友社

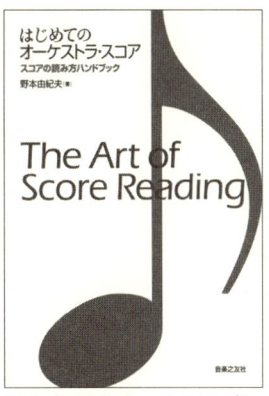

はじめてのオーケストラ・
スコア
野本由紀夫 著
本体 1500 円＋税
音楽之友社

その4 授業で使える「伝わる」話し方

[ポイント1]
熱のある先生のトーク（話術）

　これは鑑賞に限らず、すべての授業にいえることですが、まず先生自身がおもしろいと思わないことは、生徒にとってもおもしろくはないでしょう。**話し手のほうに感動がないと相手に伝わる話にはなりません。**熱がこもった話というのは、相手もよく聴こうとしますからね。指導書に書いてあるから、とりあえずそのとおり話しているだけでは、**心に響きません。**

　トーク（話術）については、私の場合、しゃべりの師匠はなんとテレビのバラエティー番組ですね。プロの芸人さんのトーク術を参考にしています。なるほど、ここでこういうふうに切り込むのか、ここで瞬発力が必要だな、リアクションの仕方、切り返しの仕方、つまり**楽しくする話術のコツ**を見ようとしています。

　笑いのない授業は、楽しくありません。楽しくない授業は、好きな科目になりません。トークというのはすぐに磨けるものでもありませんので、**自分の授業をビデオ撮影して客観的に観察**してみたり、他の先生の授業の話術を見学して勉強したりすることも必要だと思います。

[ポイント2]
気持ちの転換、授業のメリハリ

　授業展開の仕方、とりわけ導入の**「つかみ」が大事**です。たとえば、「昨日、花火大会に行った人！」という身近な話題でもいいわけです。「花火ってどういうところでやるの？　川？」という話から『ブルタバ』にもっていくとか、そんな生徒とのコミュニケーションはとても大事です。

　私の場合は、生徒がしーんと静まりかえった一方通行の授業は大嫌いです。生徒からツッコミが出ないようでは、双方向の楽しい授業だとは思えません。もちろんワサワサしますが、授業の場面・場面で気持ちの転換が起こるようにすればいいわけです。

　そのために**いろいろなコーナーを設けておきます**。対話する、絵や映像を見る、音楽を聴く、教科書を見る、説明を聞く、板書を写す、プリント学習をする、グループワーク（とりわけ**アクティブ・ラーニング**）をする。いろいろなコーナーがあると生徒は飽きません。

　グループワークは時間のロスもあるのですが、時間を「今から5分ね」と区切るなどの工夫をして、むしろやらせたほうがよいと思います。パネルを書いてもらう、パワーポイントを使うなど、発表の仕方を工夫することで、それが**プレゼンテーションの練習**にもなります。人の発表

を聞き、他の人はこう感じるんだ、ということがわかり、生徒同士の意見交換ができれば、曲の聴き方も変わってきます。

[ポイント3]
資料準備、ネタの仕込み

下準備は大変ですが、**資料を集めたり、小ネタを仕込んだりする**のは大事なことです。たとえば『運命』のときに、ベートーヴェンの肖像画を見て、「実はこの顔、本人に一番似てないんだよね」というような小ネタも重要。とにかく先生はネタをいっぱいもっていないといけません。

普段から本を読むことはもちろん、**クラシック関連のテレビ番組もチェック**しておいたほうがいいと思います。曲のどの部分を取り上げ、どんなふうに説明するのか、わかりやすい伝え方の勉強になります。演奏を録画しておけば**映像資料にもなります**。放映されている映像の中には市販されていないものもありますので、貴重な資料です。

それから先生は、**楽譜はぜひ持っていて**ください。言語化の根拠は、楽譜の中にかなり書いてあります。同じ曲でも楽譜を見ればいろいろと演奏比較ができますから、鑑賞授業のおもしろさも断然違ってきます。

[ポイント4]
先生が弾いて聴かせる比較授業

演奏の比較をする際は、**先生が実際に弾いて聴かせる**のがよいと思います。もし別の調で弾いてみたら、とか、もしこの音だったら、伴奏和音がこれだったら、強く弾いてみたら、といった比較の対象を先生がピアノなどで弾いて示してあげるのが一番です。

教育現場で**本当に必要になる「ピアノ力」**とは、こういうことです。伴奏をその場で臨機応変に変えられるとか、オーケストラ・スコアから必要な声部を取り出して弾くとか、そういうピアノ力なのです。演奏家になるような技術ではなく、（これは自分も大学関係者として反省をこめて言いますが）教員養成課程でそういう力を十分身に付けさせてこなかったというのは、大学の責任でもあると思っています。

ここチェック！
言語化＝感想文と思っていませんか？

プリント学習で、人によって**感じ方が違うことを質問する場合には注意が必要**です。たとえば、ヴィヴァルディの《四季》の情景を想像しよう、といっても、それは日本の四季ではないのですから。そもそもイタリアに行ったことがないのに、想像できるのでしょうか？　少なくとも**音楽的には、無意味な作業**ですね。

曲について文字を書かせる場合は、ただの感想で終わらせるのではなく、「なぜそう思ったか？」という**根拠を書かせる**ことが重要です。

先生はＫＹではダメです

教師には、授業中に生徒の反応を見て、瞬時に対応する力が求められます。たとえばスタッカートと言ったとき、生徒の反応が薄ければ「ここはスタッカートだから、跳ねてみよう」というように、**瞬時に補足を加えた言い換えができる**こと。**状況判断と瞬発力**が必要だから、先生はＫＹ（空気が読めない）じゃダメなんです。伝わっていないことに気づかなければ、伝わる授業はできませんよね。

[著者略歴]
野本由紀夫（のもと・ゆきお）
指揮者で音楽学者。東京藝術大学および同大学院を修了（音楽学）。ドイツ学術交流会（DAAD）奨学金によりハンブルク大学（博士課程）に留学。NHK-BS「名曲探偵アマデウス」および同Eテレ「ららら♪クラシック」で監修・解説、学校番組「おんがくブラボー」で番組委員。桐朋学園大学助教授を経て、玉川大学芸術学部芸術教育学科教授。鑑賞教育の著書多数で、全国各地で教員対象のレクチャー講師やオケ指揮者として招かれている。

音楽之友社
音楽指導ブック

[音楽指導ブック]
クラシック名曲のワケ
音楽授業に生かすアナリーゼ

2016年2月10日　第1刷発行
2023年8月31日　第5刷発行

著　者	野本由紀夫
発行者	堀内久美雄
発行所	東京都新宿区神楽坂6-30
	郵便番号 162-8716
	株式会社　音楽之友社
	電話 03(3235)2111（代）
	振替 00170-4-196250
	https://www.ongakunotomo.co.jp/

装幀・本扉・奥付	廣田清子（office SunRa）
本文デザイン	橋本金夢オフィス
譜例浄書	(株)スタイルノート
編集協力	伊藤ひさえ
印　刷	星野精版印刷(株)
製　本	(株)ブロケード

©2016 by Yukio Nomoto　Printed in Japan
本書の全部または一部の無断複写・複製・転載は、著作権法上の例外を除き禁じられています。また、本書を代行業者などの第三者に依頼してコピー、スキャンやデジタル化をすることは、個人的な利用であっても著作権法違反となります。

落丁本・乱丁本はお取替えいたします。
ISBN978-4-276-32159-5　C1073